神様の子守はじめました。 2

霜月りつ

神様の子守はじめました。2

目次

、引っ越しする

序

「おしっこし！　おしっこし！」

「おしっこし！　おーしーっこしー！」

「朱陽、蒼矢、静かにして」

狭い部屋の中を二人の子供が走り回る。羽鳥梓は段ボールに本を詰める手を止めて声を上げた。

「白花はちゃんと自分のおもちゃ片付けているよ？　朱陽も蒼矢も持っていくものを箱にいれないと、置いていってしまうよ」

今日は引っ越しの日。

梓の子育て補佐をしてくれる水精の翡翠と火精の紅玉が、近くに一軒家を購入してくれたのだ。大学に入学してから四年過ごした石川荘とは、今日でお別れ。

一人暮らしだったとはいえ、荷物は少なくはない。とくにここ数日で子供たちのものが増えてしまった。

梓は自分の小物をまとめた後、子供たちの荷物をまとめていたのだが、なかなか進まない。

原因は朱陽と蒼矢だ。

片付けるそばからこの二人が散らかしてゆく。

「朱陽、座りなさい。蒼矢も」

「あーい」

朱陽は滑り込むようにして梓の前に座った。

「朱陽、向こうのおうちで遊ぶおもちゃをここにいれてね」

「あーう」

朱陽は手を伸ばして、箱の中にあった白花のおもちゃに触ろうとしたが、それを白花に止められた。

いつもゆっくりした動作の白花にしては、驚くほどすばやかった。
（ダメ）
「あー？」

白花はまだ声を出すのが苦手なので念話で答える。

その念は向けられた相手だけでなく、梓にも、そしておそらく近くにいるものには通じてしまう。

人前ではできるだけ使わないように言っているが、このまま話せなかったら、というのが梓の悩みだ。

朱陽は白花に止められてもべつだん気にした様子もなく、自分のおもちゃを箱に詰め始めた。白花がそれをじっと見守っている。朱陽が心配というより、自分のおもちゃが心配なのだろう。

もしかしたら、箱を別々にした方がよかったかもしれない……。

「蒼矢も片付けなさい」

梓がまだ立ったままの蒼矢にいうと、

「げんきは！？」

と不満そうに答える。

玄輝は相変わらず部屋の隅で寝ている。起きている時間の方が少ないが、彼はそういうタイプなのだと翡翠たちに言われているので気にしないようにしていた。

「玄輝のは俺が決めていいってことになっているから。蒼矢のも決めていいの？」

「だめー！」

蒼矢は叫ぶと、梓が手を伸ばそうとしたオーガミロボを奪い取った。

「こえ、そーやの！」

「新しいおうちに持っていくなら、この箱にいれて」

梓は白花が片づけた箱を蒼矢に向けた。

「ロボ、かくのー」

蒼矢はロボを箱の中に放り投げた。ガチャン、という音に白花の表情が険しくなる。

（蒼矢、乱暴、ダメ！）

白花の念が梓にも突き刺さった。白花は箱の中からロボを取り出すと、ぽいと畳の上に放る。

「なにだー！」

蒼矢が今にも死にそうな悲鳴を上げ、ロボを抱え込む。

「しらなのばかっ！」

「こら、蒼矢！」

梓が睨んでも蒼矢は平気だ。

「ばかばか、ばーか、ばーか！」

「蒼矢、ばかっていう方がばかなんだよ」

「あじゅしゃもばーか、ばかばかばーか！」

怒ると余計に騒ぎ出す。

まったく男の子というのはほんとに言うことを聞かないな。

公園でママたちがこぼす言葉を、梓も呟いた。自分もこんなのだったのかと思うと、昔に戻って母親に謝りたいくらいだった。

梓はもう蒼矢を無視して荷物を片づける作業に戻った。引っ越し先の家は翡翠と紅玉が掃除してくれているというので、あとは荷物を移動するだけだ。

一度見に行ったがかなり古くて大きな家だったので、家のものを全部持っていっても大丈夫だろう。

荷物の移動のためのトラックも、翡翠たちが借りてきてくれるらしい。なにからなにまで助かる。

（しかし）

梓は、はたっと、手を止めた。

運転免許証……持っているのかな？

梓が黙って作業をしているので、蒼矢は周りをうろうろし始めた。手にロボを持ったまま白花の箱に近づくと、白花が箱をさっとどかす。

「しらなー、これーいれてー」

（イヤ）

白花はにべもない。

「いれてー！　いれうー！」

（イヤ！）

二度の拒絶に蒼矢は癇癪を起こし、手にしていたロボで白花の頭をぶってしまった。

「！」

「なにしてるの、蒼矢！」

梓はさすがに驚き、顔をゆがめた白花を自分の胸に抱き寄せた。

「あー、白花、痛かったねー、かわいそうだったねー」

「………」

言葉を発するのが苦手な白花が喉の奥で唸る。目に涙がたまっていた。

「よしよし、いい子だね、泣かなかったね、えらいえらい……」

（ウァーン！）

ほめたとたんに泣き出す。

（ウォー、ウァーッ）

梓の胸にしがみついて泣いていた白花の背が丸まり、頭の上に三角の耳が、フリースパンツのお尻に長いしましまのしっぽが生えた。

「し、白花？」

（ガーッ！）

小さな白い虎に変化した白花は、逃げ出した蒼矢を追いかけ、その背の上に四つの足を乗せた。口を大きく開け、蒼矢の頭をガブガブと噛む。

「うわーんっ！　いたいー、いたいーっ！」

蒼矢が足をじたばたさせて大声で泣き出した。

「白花、やめて！　やめなさいっ、おうちで変身しちゃだめでしょ！」

梓が虎の姿の白花を蒼矢の上から抱き上げると、たちまち蒼矢も青く輝くうろこを持った竜へ変化する。

「うわ、蒼矢、やめなさいって！」

蒼矢は飛び上がり、天井や壁にその体をぶつけだした。

「きゃーっ」

それを見た朱陽が歓声を上げて飛び上がった。真っ赤な翼を持つ鳥の姿だ。

「あ、朱陽！　降りなさい！」

青い龍と赤い鳥が天井付近をぐるぐると回る。それを白い虎が下からジャンプして捕まえようとする。

「喧嘩(けんか)はだめーッ！」

梓が飛び上がった虎を空中でキャッチした瞬間、虎の前足が龍のしっぽをひっかけ、そのまま床にたたきつけようと――そこに玄輝が寝ている。

「危ない！　玄輝」

だが、玄輝は眠ったまま丸い亀の姿に変化していた。ぶつかった龍がずるりと亀の甲羅(こうら)

の上に伸びる。

「ああ、もう――」

ピンポーンとのんきな呼び鈴が鳴り、ドアが開かれた。

くるくるとした巻き毛の、ダウンジャケットを着た若者が、部屋に入ってくる。

「梓ちゃん、トラック持ってきたで……って、どないしたん、これ」

部屋の中は三匹の神獣が暴れまわったせいで片づける前に戻っている。

「紅玉さん……子供たちが……」

その背後から眼鏡にきちんとしたスーツの青年が顔を出す。

「情けないぞ、羽鳥梓。貴様は引っ越し準備もまともにできないのか！」

「翡翠さん、俺だって努力はしてるんです」

梓の補佐というかお目付役の火の精と水の精だ。

「努力の結果がこれか。お前はやはり自覚が足りないのではないか、お前は四神の仮親なのだぞ、しっかりしろ」

羽鳥梓・二二歳。

彼はこの国の四方を守る四神の子供――白虎、青龍、朱雀、玄武を育てるようにと任命された、いわば、神様の子守である。

一

紅玉と翡翠に手伝ってもらって、なんとか荷造りを終えた。朱陽と蒼矢さえ確保してもらっていれば、あっという間のことだった。

「あとはトラックに詰め込むだけですね」

「うん、そんでな、今日はごつい応援が来てくれてんのよ」

紅玉が窓を開けて下に向かって手を振る。

「応援？　まさか天狗（てんぐ）のみなさんですか？」

「いや、連中は連中で忙しいからな。今日はタカマガハラから来てもらったんや」

「え？」

ズシン、と大きな音が外階段の方でした。

ズシン、ともうひとつ。アパート自体がミシミシと音を立て始める。

ズシン、ズシン、と何か大きなものが階段を昇ってやってくる。

白花が怯（おび）えた様子で梓のそばに寄った。蒼矢も不安気な顔で近づく。朱陽は興味津々（しんしん）の顔で玄関を見つめ、玄輝は眠っている。

「よう来てくれはりましたなー」

紅玉がドアを開いたが、そこに見えるのは男の胸から下だけだった。

「うわ」

入り口を、身をかがめて入ってきた男は、身長は二メートルをゆうに超えている。胴回りも相撲取りくらいある、大きな体をしていた。

「わー」

子供たちも目を輝かせてその巨体を見上げた。

「オーガミロボみたーい」

浅黒い肌に短く刈った髪、全体的に四角い印象だが、黒々とした眉毛の下の目は小さく、どこか象を思わせる風貌だ。

大男は子供たちを見るとにこりと笑った。浮かべた笑みは人懐こく優しいもので、子供たちはいっぺんで緊張を解いた。

「紹介するわ、梓ちゃん。こちらは天之手力男命さま。天の岩屋を開けた怪力無双の神様や。タヂカラオさま、こちらが四神の仮親、羽鳥梓です」

「ん……、」

大男のタヂカラオが軽くうなずく。梓はぺこぺこと頭を下げた。

「天の岩屋……、聞いたことあります。確か、アマテラスさまが引きこもっちゃったんですよね！」

「そうそう、スサノオさまの乱暴狼藉(ろうぜき)にアマテラスさまがヒステリー起こして岩屋に閉じこもってしまったんや。そんで太陽が出んようなって世界は暗闇、このままじゃあ地上は滅んでしまうというとき、このタヂカラオさまがその岩屋をこじあけたんや。だから力はタカマガハラの折り紙付きや」

「そ、そんなえらい人に手伝ってもらうなんて……」

「いい、」

タヂカラオがほほ笑んだまま首を振った。

「え？」

「気にしなくてもいい、とおっしゃったんだ、羽鳥梓。しかし感謝はしろ。天界会議で今日の引っ越しの話が出て、タヂカラオさま自ら(みずか)手伝いを買って出てくださったのだ」

「そ、そうだったんですか……なんていうか、ほんとありがたいです」

「これ、」

タヂカラオがキッチンに置いてある冷蔵庫を指さした。紅玉がうなずいて、

「はい、これを下のトラックに運んでいただければ」

「ん、」

　タヂカラオは冷蔵庫に手をかけると、ひょいと持ち上げた。

「おおー」

「わー！」

　子供たちが歓声を上げげ、タヂカラオにまとわりつく。タヂカラオは冷蔵庫を持って入口へと向かった。

「ほんとに力持ちなんですねー」

　梓も感心してその分厚い背中を見送る。

「タヂカラオさまは相撲の神様とも言われているんや」

「へえ………。ねえ、蒼矢、タヂカラオさまは相撲の神様なんだって、すごいねー」

　そばにいた蒼矢に言うと、蒼矢はちょっと考えた様子で、

「でもぼーし、ないねー」

　と不満げに言った。

「ぼうし？」

　紅玉が梓に聞く。梓は苦笑して、

「蒼矢の中では帽子をかぶっている人がかっこいいってことになってるみたいなんです」

「へえ、帽子か。子供っていうのは何にこだわりがあるかわからんなー」

「そうなんですよ、朱陽はブーツにこだわりがあって、白花はポケットなんです。ポケッ

トの数が多い方がえらいらしいんですよ」

自分のことを話されているとわかったのか、白花がこっちを向く。

「へえ、白花ちゃんはポケットダウンか。なあ、白花ちゃん、僕のダウン、ポケットが四つもあるんやで、かっこいい？」

紅玉が言うと白花はかすかにあごを引き、恥ずかしそうに笑った。

「かーわーいー」

「ねえ」

二人でほのぼのしていると翡翠の怒鳴り声が落ちた。

「なにをのんびりしとるか、紅玉、羽鳥梓。私たちも動くぞ」

翡翠に追い立てられ、梓は子供たちを連れて下に降りた。

石川荘から新しい家までは歩いて一〇分ほどの距離だ。荷物はトラックで運ぶため、梓は子供たちを連れて先に新居へ向かうことになっている。

「さあ、みんな。カートに乗って」

梓が声をかけると朱陽、蒼矢、白花がカートによじ登る。梓は抱いていた玄輝をそっとカートの中に横たえ、ハンドルを握った。

「それじゃあ新しいおうちに出発進行！」

朱陽と蒼矢がカートの中で飛び跳ねる。

「ちんこー！」

「ちんこー！　ちんこー！」

「あぁあ、ちょっと小さな声で……」

ちらっと背後を見ると、紅玉が笑い、翡翠が顔をしかめている。

「あじゅさ、ちんこーは？」

朱陽が止まってしまった梓に無邪気な顔で聞く。

「ちんこーじゃなくてしんこーね、しんこー」

「ちんこー！」

蒼矢が無邪気な顔で復唱する。

「し、ん、こー」

「ち、ん、こー！」

朱陽と蒼矢がそろって声を張り上げた。

「……朱陽、蒼矢、わかってて言ってるんじゃないの？」

「？」

二人が首をかしげる。梓は諦めた。

「じゃあ行こう、出発進行じゃなくて……そうだ、カートでゴー！　だ！」

「ごー！」

「ごー！」

こっちも気に入ったらしい。朱陽と蒼矢はさっそく大声で繰り返し出した。白花は黙ったまま玄輝の横で座っている。

梓はカートを押して、新しい家へと向かった。

二

新しい家は住宅地の奥、山茶花（さざんか）の生け垣（がき）に囲まれていた。平屋だが敷地は広い。

生け垣の向こうに背の高い木が見えていた。落葉樹なのか、葉は一枚もついていない。

門にはアコーディオン式の鉄柵が設けられ、それを押して開くと二メートルばかりのスロープになっている。

梓は玄関の前でカートを止め、子供たちに声をかけた。

「ついたよ、みんな降りて」

「あーい」

朱陽と蒼矢がカートから飛び出し、転げるように左手に広がる庭に入っていく。

「あじゅさ、こーえん！」

朱陽が木々に囲まれた庭で歓声を上げた。

「公園じゃないよ、お庭、っていうんだ」

「おーにーわ！」

緑なのは生け垣になっている山茶花だけで、いくつか生えている背の低い茂みも茶色く枯れていた。

隅のほうには細長い葉の群れがあったり、丸い葉の塊があったりする。

少し寂しい感じのする庭だった。

「暖かくなったらなにか花を植えてみようか……」

朱陽は庭をあちこち走り回っている。いつもなら一緒に駆け回る蒼矢が、今は庭に立つ大きな木に抱きついていた。幹に耳を押し当て目を閉じている。

「蒼矢？」

近くによると梓の顔を見上げた。

「なにしてるの？」

「このこねー、うれしーのね」

蒼矢が笑う。

「ずっとひとりでさびしーのことといってる」

「この木が？」

「ん、」

蒼矢は青龍。東を守る龍は木の性質も持つ。何か木の言葉が聞こえるのだろうか。

梓も木に耳を当ててみた。しかし何も聞きとることはできなかった。

朱陽も同じように木に腕を回し、耳を押し当てた。

白花が玄輝の手を引いてやってくる。玄輝は歩いてはいたが、まだ半分眠っているようにふらふらしていた。

梓は耳を離し、木の幹に手のひらを押し当てる。

「…………今日からこの家に住むんだ。よろしくね」

ほんのりと手のひらが暖かくなった気がした。

「さあ、それじゃあみんな、おうちの中に入ってみようか」

「あーい！」

梓は四人の子供を連れ玄関に向かった。木は子供たちの歓声を静かに見送った。

翡翠からもらっていた鍵で玄関を開ける。模様ガラスの入った引き戸がガラガラと音を立てた。

玄関は三和土(たたき)の部分が広く、子供たちが靴を脱ぎ散らかしてもまだ余裕がありそうだった。

左手にある小さな窓から日差しが入ってくる。下駄箱もあり、開いてみるとかなり収容できそうだ。

廊下は玄関からまっすぐと左右に伸びている。朱陽や蒼矢が歓声を上げて家の中を走りだした。

「みんな、お外出ちゃだめだよー」

梓が声をかけると「あーい」とてんでに声が返ってきた。

左手に居間、右手に台所やトイレがあるようだ。

まず居間に行くと、二つの和室になっている。襖(ふすま)でしきられているので、襖を取り去ればかなり広い部屋になりそうだった。

廊下にはガラス戸があり、その向こうに雨戸がある。雨戸をガタガタ開けると先ほどの庭になった。

廊下からすぐに庭におりられる、こういうのは縁側というのだったろうか。

居間を超えると立派な床の間のある座敷がある。

床の間には節があって、茶色のぬめった光沢のある床柱があった。紅玉たちが水拭きしてくれたのか、黒い床の間はぴかぴかだ。

座敷の手前に小さな部屋があった。もしかしたら仏間だったのかもしれない。ここも襖で座敷と仕切られているので、とりはずせば広くなる。

座敷と廊下を挟んだところに六畳と四畳半の部屋。この部屋は将来子供たちがすみわけする部屋にしようと梓は考えた。

四畳半の窓から小さな裏庭が見える。ここは畑にして野菜を育てるのも面白いかもしれない。

梓が窓から裏庭を見ていると、だれかが部屋に入ってきた気配があった。黙っているので白花かな、と振り向いたが誰もいない。

だが、向かいの座敷の障子(しょうじ)にさっと黒い影がよぎったので、だれかがいたことは確かだ。

台所のほうは少し昔風の作りだ。

冷蔵庫と小さな食器棚しかない今の状況ではかなり持てあます広さかもしれない。ここにテーブルを置いてみんなでご飯を食べることにしよう。

「みんなー、集合してー」

居間に戻って声を上げると、小さな足音がパタパタと集まってきた。

「どうかな、気に入ったかな」

四人の顔を見まわして、梓はぎょっとした。まだ廊下をパタパタ走っている音がする。

（えっ？）と聞き直そうとしたときには音は止んでいた。

「……」

耳をすますが何も聞こえない。

（気、気のせいだよな）

不意に日が陰り、部屋の中が暗くなる。ひゅうっと首筋に冷たい風が吹きつけたような気がして、梓は肩を震わせた。

（そ、そういえば聞いてないけど、ここってどういう物件だったんだろう。かなり古いとはいえ都内の一戸建て。翡翠さんと紅玉さんがすっごいお金持ちだったんじゃなければ、かなり安かったとか……そんで安い家って訳ありだったりして……）

「羽鳥梓――っ！」

いきなり大きな声で背後から呼ばれ、驚いて振り向くと白と黒のなにかが正面からぶつかってきた。

「うわーっ！」

思わず顔を覆うと、頭に何か突き刺さった。

「痛い痛い痛いっ！」

振り回した手に柔らかな触感。この感触は覚えがある。

「わしだ、わしだ」

「とっ、伴羽（ともは）さん！」

　顔と翼が白く、胴体は黒い。そして白と黒の長い尾を持った言葉を話す尾長鶏(おながどり)――それが梓の頭の上に乗って翼を広げている。

「久しぶりだな！　羽鳥梓！」

「生きてたんですね！」

「当たり前だ！」

　梓が最初にアマテラスと出会った神社――今はもう神主(かんぬし)もいない神社だが、そこの神使を務めている御神鶏、伴羽だった。

　子供たちがまだ赤ん坊だった時、魔道に堕ちた天狗にさらわれたことがある。

　梓は伴羽やほかの天狗たちと子供たちを取り返しに行ったが、そのとき、伴羽がひどい怪我を負った。それでしばらくタカマガハラで療養していたのだが。

「わあ、尻尾も元通りじゃないですか！」

　魔道天狗に引きちぎられ、伴羽の自慢の尻尾は半分以下になってしまっていた。それが元通り、長く美しく畳の上に流れている。

「ふふん。気力十分、前よりも長いくらいじゃ」

　伴羽は梓の頭の上でそっくりかえった。

「痛い、爪が痛いです、伴羽さん。降りてくださいよ」

「兄者(あにじゃ)、羽鳥さんに会えて嬉しいのでしょうが、それではご迷惑ですよ」

ふわりと、伴羽よりほっそりした、全身真っ白の尾長鶏が姿を現した。右目に丸い片眼鏡をはめている。

「呉羽さん」

伴羽の弟の、やはりこちらも御神鶏（ごしんけい）の呉羽だ。

「べ、別に嬉しくもなんともないわ。ただ、梓が心配しておるだろうから帰参の報告に来ただけよ」

伴羽はばたばたと羽根を振ると、梓の頭から降りた。

「ともはー」

子供たちが畳に降り立った伴羽に抱きつく。ほぼ同じ背丈なので、伴羽はぎゅうっと首を絞められることになる。

「おさしぶいー」

「げんきーだ？」

「おお、おお、しばらく見ぬうちに言葉もたっしゃになったな」

伴羽は翼を広げて子供たちの頭を撫でた。

「梓はよく世話をしているようじゃ」

「どうですかね、翡翠さんには叱られてばかりです」

「翡翠は過保護だからの」

伴羽は楽しそうに目を細めた。

「気にすることありませんよ、梓さん。神子たちがこれだけ元気に健やかに育っているのです。あなたは仮親として立派にやっていらっしゃいます」

呉羽の柔らかな言葉が嬉しい。

「ありがとうございます、呉羽さん」

「なんだ、梓。わしだってほめてやったではないか」

「はい、伴羽さんもありがとうございます。………連絡なくて、ほんとに心配してたんですよ？」

梓がしんみりと言うと、伴羽はあわてたようにとさかを振った。

「ちゃんと戻ってきたのだからいいではないか。療養中だとわかっているのになんの連絡がいる」

「でも元気だって一言くらいあってもいいじゃないですか」

「梓さん、兄者は尾が生えそろうまで絶対連絡するなって言い張ったんですよ。衰えた姿は見せたくなかったんです、わかってやってください」

「呉羽、うるさい」

伴羽はばさばさと翼を振り、廊下に出た。照れているらしい。

「そういえばさっきの足音とか気配とか、あれは伴羽さんたちだったんですね」

「足音？」

呉羽は首を傾げたが、すぐに翼を振り上げた。

「そういえば聞こえてきます、三人ほどいらっしゃいますよ」

「え？」

ガラガラッと戸の開く音が家の中に響いた。梓が慌てて玄関に出ると、荷物を持った紅玉が立っている。

「よー、梓ちゃん、荷物届いたでー。手伝ってや」

「あ、はい」

紅玉は梓の後ろから顔を出した伴羽を見て「おー」と声を上げた。

「伴羽さん、来てはったんですか」

「うむ、挨拶にきた」

「なら引っ越し祝いと一緒に快気祝いもやりまひょか。でもまず、トラックから荷物だけ下ろすの手伝ってや、梓ちゃん」

「わ、わかりました」

梓は子供たちを振り向くと、

「みんな、お靴持ってお庭で遊んでいて」

と声を掛けた。

「では神子たちは私たちがみていましょう。この姿では荷の上げ下ろしはできませんからね」

ありがたい申し出だ。荷物運びのときに子供たちにちょろちょろされると危ない。

「お願いします」

伴羽と呉羽が庭に舞い降りる。子供たちは先を争って靴を持ってくると、廊下に尻をついてそれを履き、庭に飛びだす。

その楽しそうな様子に、庭があってよかった、と梓は思った。

男が四人、しかも一人は冷蔵庫を片手で持ってしまう怪力、というわけで、荷運びはあっという間に終わった。

とりあえず、台所のものは台所へ運び、それ以外は居間へと運んだ。ふすまを外した二部屋続きの居間に道具を置くと、けっこう少なく見える。

「こんなもんだったのかー」

四年過ごしてそれなりに自分の物はあると思っていたのだが、今は子供たちのものの方が多いかもしれない。

「なに、すぐにこの家だって狭いと思うようになるかもしれへんよ」

紅玉が慰めてくれるつもりかそんな風に言う。

「そうだな、人間の欲というのは無限だからな」

それは慰めじゃなくて批判ですよね？

「とりあえずお茶にでもしましょうか。食器ならすぐに出せるんで」

梓は台所につんだ段ボールからやかんを取り出すと、水道の蛇口をひねった。少しザーザーと水を流してやかんにいれる。それをコンロに置いてスイッチをひねったが。

「あれ？」

「水はともかく、ガスは開栓作業というのが必要ではなかったか？」

翡翠が背後からのぞき込む。

「そやそや、電気はブレーカーを上げればすむが、ガスはガス会社の人に頼むんやで？」

紅玉も言った。

「ええっ？　もう連絡してあるんじゃないんですか？」

「なんで私たちがそこまでやらねばならんのだ、ここはもうおまえの家だぞ」

「っていうか、そういうのは管理している会社がするもんじゃ……、そうだ、不動産屋さんって全く会ってないんですけど、どこの会社なんですか？」

それを聞いて紅玉と翡翠は顔を見合わせた。

「あー、不動産屋さんはなー、このあたりの人間なんやけど」

「あまりこの家には立ち入りたくないそうだ」

「え……」

なにかいやな予感がする。

「どういう意味ですか、不動産屋さんなのに、なんで立ち入りたくないなんて」

唐突に、あの足音のことを思い出した。伴羽のせいにしたけれど、やはりあれは鶏の足の音ではない。

「あのですね、実はお聞きしたいことがあったんですけど、この家って……」

言いかけたとき、紅玉と翡翠の背後、台所の入り口をすうっと黒い影がよぎった。

「やっぱりだれかいるううっ！」

梓が指さすと、二人は後ろを振り向き、それから顔を見合わせた。

「なんや、ただの鬼やない」

「騒ぐほどのことでもなかろう」

「お、鬼!?」

そこに朱陽がばたばたと駆け込んできた。

「あじゅさー、こえー、つかまえたー」

はいっと両手に持ったものを差し出され、梓は飛び上がった。

「あっ、朱陽、なに持ってんの!?」

朱陽の手の中でキイキイ音をたてて身をよじっているのは、人の顔をした蛇だ。

「ああ、これも鬼だ」

「朱陽ちゃん、よう捕まえたねー」

「ちょ……………っ」

梓はひきつった顔で二人の精を見た。

「鬼ってなんですか、なんでこの家に鬼がいるんです!?」

翡翠は小さな蛇を手にすると、ぎゅっと握りしめた。途端に鬼は黒い煙となって消えてしまう。

「ほら、こんなものだ。ちょっときれいな気を送ってやるだけで消えてしまう。蚊や蠅より害はない」

「害とかそういう問題じゃ………。なんでこの家にそんなものが」

「ここは鬼の通り道になっているんや」

紅玉が肩をすくめる。

「最初にこの土地にいた人間はちゃんと知っていたから、庭に鬼を清める池を作ってたんや。だけど、時代が下がってそうした言い伝えもなくなって、土地は分散され力も弱くなってもうた」

「節分の豆まきがあるだろう。今では行う家も減ったが、神社や寺では行われている。そこで祓われた鬼がこの家の中にある鬼道を通って鬼界に下る。そのさい、妙な音や影を見るとか、具合が悪くなる人間が出るとかで、この土地は次々と持ち主が変わってな」

「それって事故物件ってやつじゃないですか！」

「なに、そんなことが起こるのは如月のはじめだけだ。まあ、中には鬼界に戻らずこの世でうろうろしているものもいるが、なにせここに住まうのは四神だ。彼らならそんな連中もすぐに捕まえることができる。捕まえればこうやって」

翡翠は言いながらひょいと右手を伸ばした。

その手の中に、今度はイモリに似た、しかし黒い羽根のある生き物が捕まっている。

「きれいな気を送り浄化してやれば消えてしまう」

言葉通り、イモリもまた煙となった。

「たいした害ではないだろう？」

「――――」

梓はあっけにとられて翡翠の手を見た。

「三〇年ほど前にこの土地を買って家を建てた人間は、気骨すぐれた人物で、鬼のこともあまり気にしなかったのだが、その息子の代になってはもうだめでな、この家から逃げてしまった。年とともにこの家もどんどん値下がりして、格安で手にいれられたのだ」

「そんな話は聞きたくありませんでした……」

梓はがっくりと肩を落とした。

東京都内で庭付き一戸建て、そんな理由でもなければいくら翡翠や紅玉がお金を持っていても購入することはむずかしかっただろう。

ショックを受けている梓に紅玉も翡翠もきょとんとした顔をしている。

こういうところが人と神様の違いなのだろうか。鬼と同居を気にしない人間のほうが少ないというのに。

「目には見えんけど、どこの家にもこのくらいの鬼はいるで？　さっきも言ったけど豆まきしてへんからな。鬼はみんな家でのんびりしとるわ」

「そうそう、ここは目に見えるだけ祓いやすくていいだろう？」

慰めてくれているつもりだろうか？

「わかりました。気にしないようにします……」

「おお、そうだ。ガスや水道、そのほかの連絡先を不動産屋からもらっておいたのだ、ちょっと待っていろ」

翡翠がパタパタと台所から出ていった。梓は大きなため息をついてシンクの縁に両手をついた。

と、排水溝から魚の顔に人の体を持ったものが、ちろっと姿を現す。

「……」

梓はやかんをガンッとシンクに置いた。しばらくしてやかんを持ち上げると何もいない。

「庭付き一戸建て、ただし鬼付き……」

あはは――

乾いた笑いが梓の口からもれてきた。

三

ガス会社に電話すると、今日中に来てもらえることになった。これで今晩暖かいものが食べられる。それまではしょうがない、と紅玉が近くのコンビニに飲み物を買いに行ってくれた。

大人はペットボトルのお茶を飲み、子供たちは翡翠が浄化したミネラルウオーター（ただのやかんの水）を飲む。

子供たちは大きなタヂカラオがすっかり気に入ったらしく、丸太のような太ももの上に座ったり、山のような肩の上によじのぼったりしている。

タヂカラオは彼らの体重など感じないふうで、穏やかな表情をしていた。

「そういえば、トラックはどなたが運転してこられたんですか？」

気になっていたことを聞くと、翡翠がポケットから何か取り出した。

「私だ。免許証もあるぞ」

「わあ、すごい」

青い背景をしょった真面目な翡翠の正面顔。名前は「青井翠（あおいみどり）」となっている。

「これって仮名ですか」

「人間用の名前だ」

「翡翠はその名前でツタヤやブックオフの会員カード作ってるんや」

紅玉がにやにやしながら言う。

「そういえば翡翠さんはミステリードラマがお好きだったんですよね」

翡翠は日本の二時間ミステリードラマが好きで、視聴をかかさないと言う。

「でも免許証をつくる前の身分証明書ってどうやって……」

「そこは企業秘密だ」

翡翠が厳しい顔をする。

考えてみれば梓の給料もタカマガハラから貰っているわけではなく銀行振り込みだし、この家を購入する手続きにもいろいろな書類は使うだろう。

きっとそういう必要書類を作成する神様がいるのだ、そう思っておこう。

「まあ免許証があれば大体は通るのだが、先日免許証で失敗した」

「失敗？」

「書き換えにいくのをうっかり忘れてな、生年月日が大正二年のままだったのだ」

「それ更新手続きじゃなくて」

「文字通りの書き換えだ。今の私の生年月日は昭和六二年になっている」

「へえ……紅玉さんもそういうの持ってるんですか？」

「聞いて驚いてー。僕は住基カード持ってるよー」

紅玉が自慢気に見せてくれたのは大阪市の住基カードだった。

「今度マイナンバー制になるやろ？　総務省のコンピューターをいじるのはちょお大変やったで」

「いじったんですか……」

「京都の電電宮におられる電電明神に頼んでな」

「でんでん……」

「電気の神様や。パソコンやらゲームやらの守護もしとられるぞ」

「はあ……さすが八百万っていうだけありますね」

天地万物あまねく神の宿る国・日本。なんでも受け入れる懐の広さをいまさらながら思い知る。

「さて、じゃあ段ボール開けてしまおうか」

紅玉が立ちあがった。

「タヂカラオさま、今日はありがとうございます。あと、細かい作業は我々でやりますので」

「ん………、」

タヂカラオは返事をしたが、立ち上がらない。子供たちが膝の上に乗っているせいだ。

「朱陽、蒼矢、いつまでもタヂカラオさまのお邪魔をしちゃだめだよ。お膝から降りなさい」

梓がそう言うが、二人ともしらん顔でタヂカラオの膝の上に転がっている。

「朱陽、蒼矢！」

少し強い口調で言ったが、それにタヂカラオが首を振った。

「いい、」

「え？」

「神子たち、見る」

言うなり、ひょいと二人を抱え、庭に降りる。

左右の腕の中で朱陽と蒼矢がきゃーきゃーと歓声を上げた。白花と、ようやく起きた玄輝もついていく。

「梓、わしらももう少し神子たちと遊んでいよう。細かい作業のほうが、子供らが邪魔になるであろう」

伴羽もそう言って庭に降りる。歓声が大きくなった。

「え、でもいいのかな、こんなに遊んでもらって」

「大丈夫ですよ、梓さん」

呉羽が声をかける。

「ああ見えて兄者は子供が好きなのです。私たちの桜神社が栄えていたころは、たくさんの子供たちの声で境内はにぎわっていました。兄者はそんな子供たち、一人一人を大切に見守っていたんです。今は鳥居をくぐる子供もいない……ずっと寂しかったと思います」

「へえ……」

梓は庭で子供たちに追い回されている伴羽を見た。

「ただ、タヂカラオさまは……子供が苦手だったはずなのですが、神子たちは平気なのでしょうか」

「そうなんですか？　すごく優しくていい方だと思いますが」

「優しいは優しい方ですが……」

タヂカラオは今は玄輝をぽんぽんと空に放り投げている。いつも眠たげな玄輝が珍しく笑い声をあげていた。

「玄輝の笑い声を聞けただけで俺は感激してますけど」

「はは、そうですね。では私も追いかけっこの仲間にはいりましょう」

呉羽はそう言うと翼を振って庭に飛び降りた。すぐに蒼矢が捕まえにくる。

そんな姿を見守っていた梓だが、玄関の呼び鈴に我に帰った。

「ガス屋さんかな」

いそいそと玄関に降りて引き戸を開ける。思った通り、ガスの制服を着た男性が立っていた。

「あ、ご苦労様です……」

言いかけた梓だったが、最後まで言う前に、ぐいっと肩を押された。

「え？　あの……」

「ダヂカラオサマハ、ドコニ、オワス」

ガス会社の男性は抑揚(よくよう)のない言葉でそう言った。

「な、なんですか？」

「ダヂカラオサマハ、ドコニ、オワス」

ぐいぐいと肩をおされる。梓はとっさに相手の胸を押し返していた。

なにか、へんだ。

タヂカラオの名前を呼ぶだけでなく、目の焦点があっていない。まるで目を開けたまま眠っているようだ。

「ちょっと待ってください、あなた、ガス会社の人ですよね？」

「ダヂカラオサマハ、ドコニ、オワス」

別な声がした。ガス会社の人間の背後に、郵便局の配達の制服を着た人が立っている。

やはりうつろな顔でゆらゆらと体を揺らしている。

「なんなんですか、あなたたち！」

梓の声に台所にいた翡翠が顔を出した。

「どうした、羽鳥梓」

「翡翠さん！　この人たちが、変なんです！」

「ダヂカラオサマハ、ドコニ、オワス」

もう一人増えた。ガス屋と郵便屋を押さえていた梓の横を通り、エコバッグを下げた主婦らしき人が玄関をあがろうとしている。

「なんだ、あなた方は！」

「わあ、また増えた！」

「ダヂカラオサマハ、ドコニ、オワス」

今度は老人だ。やはり意思を感じさせない言葉に表情。

「梓ちゃん！」

紅玉も駆けつけてくれた。

三人でやってくる人間たちを押し返しているが、数が増えていく一方だ。

「梓ちゃん、タヂカラオさまのところへ行って！　なんかわからんけど、タヂカラオさまに害をなすことになると困る。早く逃げてもらって」

「でもここは」

「俺と翡翠で止めておく。翡翠、結界（けっかい）張って！」

「結界？　お前だってできるだろう」

「できるけど相手は人や、火傷（やけど）させたらまずい」

「わかった」

翡翠はちょっと後ろへ下がると口の中でなにか唱えた。とたんに二人と虚（うつ）ろな人々の間に分厚い氷の壁が現れる。

「梓ちゃん、行って！」

「はい！」

梓が身をひるがえして廊下を駆けた。庭に面した廊下まで行って立ち尽くす。

「タヂカラオさま！　みんな！」

庭も大変なことになっていた。

生け垣をよじのぼり、傷だらけになって、虚ろな目の人々がタヂカラオと子供たち、伴羽と呉羽に迫っている。

子供たちはタヂカラオに抱えられ、しっかりとその体にすがっている。彼らの周りが薄く光っているのは子供たちが結界を張っているのだろう。

四方を守る四神の子供たちは境界を司る力を持つ。

「タヂカラオサマ」

「タヂカラオサマ」

うめくような声で呼びかけながら、人々が光に触れては弾き飛ばされていた。

「うー、ううぅ――――」

タヂカラオの腕の中で蒼矢が顔を真っ赤にして唸っている。

「ふんっ―――んーっ！」

朱陽も歯をむきだしていた。結界に力をこめているのだろう。

(………っ)

音のない、白花の強い意志も感じられた。玄輝も今は目を開いている。

四人の子供たちも精いっぱいの力を振り絞っているのだ。

「い、いったいどうなっているんだ………」

足元がぞわぞわする。まるで小さな虫に這われているみたいな………。

下を見てはっとした。黒いもやが廊下の上に漂っている。それは庭の人々の体から溢れ、庭全体を、部屋の中まで覆い始めていた。

「なんだこれなんだこれ」

梓はバタバタと足を踏み鳴らした。もやはそのときは足を避けるように薄まるが、すぐにもとに戻ってしまう。

「くそっ！」

梓は裸足のまま庭に飛び降りると、結界に近づこうとする人の肩を掴んだ。

「なんなんですか、あんたたち！　出てってください！」

力いっぱい引くとあっさりと背後に倒れ込む。だが、次々と人が梓を無視して結界に群がろうとしている。

薄い輝きの中で子供たちが泣きそうな顔をしていた。

「あじゅさー！」

「あじゅさーこわいー！」

梓の頭がかっと燃える。

「子供たちを怖がらせるな！」

寄ってくる人間たちの前に回って両手を広げる。だが、その体は数人の人の手でどんどんと突かれて地面に押し倒されてしまった。

「あじゅさー！」

子供たちの悲鳴とともに結界が失われる。梓が倒れたのを見て動揺したのだ。

「み、みんな……っ！」

それでも梓は子供たちに迫ろうとする人間たちの足をつかんで止めようとした。その時。

「——！」

タヂカラオが両手を天に向かって上げ、その手をがっしりと太ももにおろした。そして高々と右足があがる。

（四股——？）

ズシンッ！

タヂカラオの右足が地面に下ろされた。横たわっていた梓は地の揺れを感じた。

ズシン——！

今度は左足だ。

ズシン！

タヂカラオの足が地面を踏むたびに、地を覆っていた黒いもやが消し飛んでいく。そして迫っていた人間たちも、一人、二人と膝をついて倒れていった。

ズシン！

四回の四股で、すべてのもやが消えた。そして立っている人間は一人もいない。

「あじゅさー！」

タヂカラオの体から飛び降りた子供たちが駆け寄ってくる。

「みんな、大丈夫？」

梓は体を起こすと飛びついてきた子供たちを抱きとめた。

「だいじょぶ！」

朱陽が梓の土に汚れた顔を撫でる。

「あじゅさ、いたい？　いたい？」

「平気、俺も大丈夫だよ」

梓は子供たちの頭をじゅんぐりに撫でた。

「無事でよかった……、みんなよくがんばったね」

（結界、張ッタ。皆デ張ッタ）

白花が泣き出しそうな顔で言う。

「うん、上手だったよ、えらかったね！」

「梓ちゃん！　大丈夫か！」

玄関から紅玉と翡翠が飛んでくる。

「玄関のやつら、みんな倒れて――うわ、なんやこれ！」

庭に倒れている大勢の人間を見て、紅玉が絶句した。

「タヂカラオさまが瘴気（しょうき）を祓われたのだ」

伴羽が長い尾をひらめかせ、飛び上がった。

「こやつらの持っている陰の気が、この家の鬼の気と反応して穢塵となって満ちてしまった。それを祓われて、そして人間たちに憑いていたものも消されてしまった」

「な、なにが憑いていたというのです」

タヂカラオが顔を頭上に向けた。梓も、翡翠や紅玉も仰ぎ見る。

天空から、まるで糸のように細い、水のしずくがすうっと庭に降りてきた。それは地面に水たまりをつくったかと思うと、そこからほっそりとした透明な女の姿になった。

「罔象女さま」

翡翠がぎょっとした顔で固まった。

「ミズノハメ……」

タヂカラオが厳しい顔をする。

ミズノハメと呼ばれた女神は美しい女性だった。

だれの手も触れていない純白の雪を、月の光が照らし出したかと思われるような肌、波紋ひとつない透明な湖のような瞳、雪にこぼれた南天の実のような赤い唇……。

タカマガハラで見たアマテラスの衣装とは違い、彼女は大河ドラマで戦国時代の女性が着るような着物に、水と魚が描かれたうちかけをまとっている。体を動かすたびに、そのうちかけの中で波紋が揺れ、魚が身をくねらせた。

ミズノハメが地面を進むと、一足ごとに土の中から水がしみだしてくる。だが、豪華なうちかけに泥汚れがつくことはなかった。

「タヂカラオ」

「……これ、」

タヂカラオが地面の上に倒れている人々をぐるりと見て言った。

「そうよ、わたくしがやりました」

「ミズノハメさま、どうして……！」

縁側で翡翠が叫ぶ。

「井戸や和紙の製法などを伝え、人を助けるための守護をされている水の女神の貴女さまが、なぜこのようなことを！」

翡翠は水の精、ミズノハメは水を司る女神、同属ゆえに信じられない思いなのだろう。

「だって」

楚々とした雰囲気の女神がとたんに顔をくしゃくしゃにした。

「だってタヂカラオったらあたしに黙って急に人の世に行くんだもの！　こないだアマノウズメと浮気した言い訳だって聞いてないのに！　人の世でまただれかとこっそり逢引きするんじゃないかって思って……！」

「はあ？」

聞いていた大人が全員脱力した。

「……翡翠、ミズノハメさまってタヂカラオさまと付き合ってたのか」

「さ、最近そうらしいって噂は聞いたけど」

神様の最近っていつなんだろう、と梓はぼんやり思った。

「今日こそ聞かせてもらうわよ！　タヂカラオ、ウズメとわたくしとどっちをとるの！」

「……」

タヂカラオは、はあっと深いため息をついた。

「誤解、」

「なにが誤解なの！」

「相談……、」

「ウズメがなんの相談だっていうのよ！」

「――サルタヒコ、浮気、」

「サルタヒコ様が浮気？　それでウズメが相談にきたの？　それに乗ってやった、それだけ!?」

「そう、」

「……」

ミズノハメは眉を寄せてタヂカラオを睨んだ。タヂカラオは両腕を伸ばすと、触れただけで傷つきそうなきゃしゃな女神の肩を抱き寄せた。

「きゃあっ」

そのまま広い腕の中で抱きしめる。梓は思わずミズノハメが潰れるのではないかと驚いた。

「お前、だけ、」

タヂカラオが囁く。ミズノハメはタヂカラオの腕の中で、だらりと手を下げた。

「――もう……」

ミズノハメがうつむいていた顔をあげた。

「タヂーってばいっつも言葉が足りないんだもの！　自分がもてるの自覚してって言ってるじゃん！　あたしがどんなにタヂーを好きかわかってないんだわ！」

「わかってる、」

「わかってないわよ、だからいつもあたし心配で」

「好きだ、」

「んもー、タヂーってばあ」

いちゃいちゃし始めた男神と女神に、梓はひそかにこぶしを握った。

（なんなの、これ。痴話喧嘩に巻き込まれたってこと？）

縁側で突っ立っている翡翠をきっと見ると、呆然としてた彼は、あわてて首を横に振った。

「いや、これはちょっと、管轄外というか、私も予想していなかったというか」

「あの、ミズノハメさまー」

紅玉が疲れた顔で声をかける。

「そんでこの人間たちはどないなってんでしょうか?」

「あ、これー? この近所にいた人間たちにあたしの水を飲ませて操っただけなの。ごめんねー、迷惑かけて。すぐに回収するから」

ミズノハメがうちかけのたもとを振ると、倒れていた人間たちがのろのろと起き上がる。そして来たときと同じように生け垣を乗り越えて帰っていった。

玄関で倒れていた人間たちも起き上がり、戻っていく。

「人間たちには今の記憶はないわ、迷惑かけたお返しに、みんなに加護をひとつずつ追加しておいたから……」

ミズノハメは梓の元にいくと、その腕の中の子供たちを見た。

「これが四神の子供たちね。かわいー! 早く大きくなってね。それから羽鳥梓とやら」

「え? はい」

ミズノハメはしゃん、と頭をそらせると、威厳に満ちた声で言った。

「そなたにも迷惑をかけた。このミズノハメが加護を授けます……」

女神の指先から水がにじみだし、それが梓の額の上でぱしゃんと弾ける。

「わっ！」

「これでチャラにして。いいわね」

ミズノハメはさっさとタヂカラオのそばに戻るとその腕につかまった。

「タヂィー、早く帰りましょー」

「ん、」

タヂカラオはうなずくと、梓のほうを見て手を振った。

つられて梓も手を振り返す。そのとたん、二人の神の姿は消えてしまった。

「……なんなの、あれ」

「えらいすまんなー梓ちゃん」

「梓、大丈夫か」

紅玉と伴羽が近寄ってくる。

「しかし、ミズノハメさまから直接加護をいただいたのです。これはまれなことですよ」

呉羽が感心している。

「加護かなんかしらないけど、こんな大騒ぎして痴話げんかだなんて……」

「タヂカラオさまが天界に戻るのをためらっていたのは、ミズノハメさまが怒っていたからなんですね」

それで子供たちと遊んでダラダラしていたのか。

「無口な男もいいけど、タヂカラオさまはほんっと言葉が足りないと思う。一言言ってあげればこんな大事にならなかったのに」

梓はぶつくさ言いながら子供たちを縁側から家にいれた。

「そんで、どない？　翡翠。梓ちゃんなんの加護をもらったの？」

紅玉の言葉に伴羽も羽根をばたばたさせた。

「おお、そうだ翡翠殿。それはわしも気になるな。水の神だからな、生涯(しょうがい)水害にあわぬとか、水に苦労せんとか、そんなものか？」

「え？」

翡翠は梓の顔を見た。

「ええっと……」

じっと見られて梓も気になった。もしかしたらとってもラッキーなアイテムなのかな？

「ミズノハメさまの加護は――その……シャンプーのときに目に水がはいらない、というものだな……」

翡翠の語尾が小さくなる。

「なんなのそれー！」

「シャワーハット並みの加護かいっ！」

梓と紅玉が同時に突っ込む。

「いや、シャンプーのとき目に水がはいったら痛いじゃないか、その心配を生涯しなくてもいいんだぞ！　いわば水害がひとつ減った！」

「そんなのいりませんっ、っていうか、これだけ怖い思いさせてシャワーハットですか！」

「水の神……けちくさい」

「水神をひとくくりにするなー！」

冬枯れの庭に翡翠の絶叫が響く。

「あ！」

紅玉が声を上げて梓を振り返った。

「そういえば、ミズノハメさまに操られた人間、みんな戻ったって言ってたよな」

「え、はい」

「ガス屋のおっちゃんは？」

「えっ！」

そうだ、あのとき確かに東京ガスの制服を着た人がいた。

「あの人も戻ってしまったんか！」

「わああっ！」

梓は玄関にすっとんだ。

「ガス屋さん連れてきますー！」

「あ、梓ちゃん！」

走っていく梓を見送って、紅玉はため息をついた。

「家主がおらんとどう片づければいいかわからんのに……仕方ないなあ」

部屋の中では荷物が解かれるのを待っている。

「わかるところからだけやるか、ほら、翡翠。ぶつくさ言うとらんで手伝え」

翡翠は縁側で膝をかかえ、「水神たって何人もいるんだ、ミマクリノカミさまはもっと気前がいい」などとぶつぶつ言っている。

「こーちゃ、てつだうー」

「おたかづけー」

(おもちゃ、片付ケル)

「……」

子供たちが紅玉を取り囲んだ。紅玉はにっこり笑うと、

「ありがとー、みんなの玩具どこかな？」

「あいー」

蒼矢が指さした箱を取ってやると、子供たちがわっと群がる。

「紅玉殿、翡翠殿、神子らは私どもが見ておりますゆえ、存分にお片づけを」

呉羽が言って、紅玉は苦笑した。

「へえへえ、存分にやりますわ」

紅玉はまだ縁側にいる翡翠の頭をはたいた。

「ほらほら、さぼるな」

「うう」

翡翠がのろのろと立ち上がる。座敷の方で子供たちの歓声があがった。おもちゃで遊び始めたのだろう。

「まったく、とんだ引っ越しになったなあ……」

紅玉は呟くと、段ボールのガムテープをはがした。

終

暗くなる前になんとか荷物も片付き、梓が連れて帰ったガス屋さんのおかげでお湯をわかすこともでき、とりあえず蕎麦(そば)を作った。

アパートから持ってきたちゃぶ台を七人と二羽で囲む。卓は狭いが居間は広いので思い思いの格好ですすっている。

「そういえば引っ越しそばってどのくらい昔からあったんですか？」

子供たちに蕎麦をとりわけてやり、梓は呉羽に聞いた。子供たちの主食は米だが、蕎麦も食べることができる。翡翠が浄化したきれいな水で茹でた蕎麦は、香りもよく、おいしかった。

「確か、人間の言葉で江戸時代と言われている頃ですよ」

呉羽がくちばしで器用に蕎麦をたぐりながら言う。

「あと、引っ越し蕎麦というのは、本来、引っ越した先のご近所に配る蕎麦のことで、自分たちで食べる蕎麦ではありません」

「え？　そうなの？」

「そばに越してきました、よろしく、というような意味で配ったのだと聞いたことがあるが、」

伴羽は蕎麦を空中に放り投げては受け止めている。

「実際は昔は蕎麦が安かったからだ。最近では逆に高くなってるな」

「そうだったんですか」

「まあ、今はタオルやお菓子とか配るんでいいと思うよ」

紅玉はたっぷり茹でた蕎麦をどんどん自分の器におかわりしている。

「どのくらいの範囲で配ったらいいんですかね？」

疑問に答えてくれたのは翡翠だ。

「向こう三軒両隣というから、左右の隣と、道を挟んだ三軒だな、大家にも贈ると聞いたが、この家にかかわりたくない不動産屋なら、持っていく必要はあるまい」

「右はいないから左の家と、道路はさんでも二軒だし、全部で三つですね……」

梓は指を折って数えた。

「まあ挨拶は明日でもいいだろう」

「そうですね。第一タオル買ってないし」

「準備が足りんな、羽鳥梓」

翡翠がようやく普段の調子を取り戻したらしい。片づけている間中、気力の低下している顔をしていたのだが。

「明日、朝いちばんで買いに行きますよ」

梓は翡翠に笑いかけた。翡翠はぷいとそっぽを向く。

「今回は私の同属の神が迷惑をかけた。私が買ってきてやる」

「ええ？　そんなの悪いですよ。家を買ってもらったり、引っ越しを手伝ってもらったりしたのに」

「ええんや、梓ちゃん。うちら、梓ちゃんの補佐みたいなもんやから」

「でも」

「タカマガハラでヒマしてるより、ここでわあわあやってる方が楽しいわ。翡翠もそうやろ？」

「私はお前のようにヒマはしていない」

「やったらこんなとこで蕎麦すすってないで帰ればー？」

「う、うるさい。私は私の茹でた蕎麦に責任があるのだ」

「素直やないんやから」

こうして引っ越し第一日目の夜は賑(にぎ)やかに過ぎていったのだ。

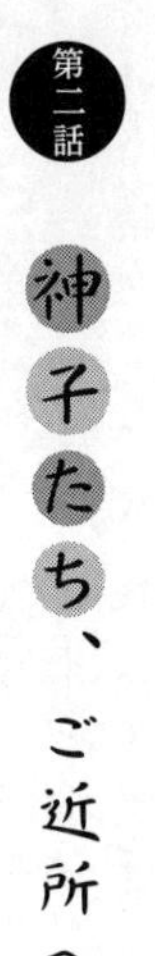

第二話

神子たち、ご近所へ行く

2

序

「おはよー、梓（あずさ）ちゃん」

「なんだ羽鳥（はのとり）梓、その格好は。だらしない」

「あの……、まだ朝の七時半なんですが……」

羽鳥梓はパジャマ替わりのトレーナーとスウェットパンツのままで玄関に立っていた。目の前には火の精の紅玉（こうぎょく）と、水の精の翡翠（ひすい）が元気いっぱいの様子で顔を揃えている。

「朝の七時半だからなんだというのだ。神子たちの食事は済んだのか」

「あ、今食べているところで」

「貴様は寝間着のままで神子たちに朝食を食べさせているのか」

くわっと翡翠が目をむく。

「い、いえ、今日は特別で……いつもはちゃんと着替えてます。でも今日はなかなか起きられなくて寝過ごしたんです」

言い訳をする梓に紅玉が同情の目をむけてくれる。

「まあ無理ないわ。昨日の今日だもんね。引っ越しやなんやかやでいろいろあったし」

「出雲大社の遷宮に比べれば指先一本でできることではないか。甘えるな」

「いや、比べるの間違っとらんか？」

翡翠と紅玉はそう言いながらさっさと家の中にあがりこむ。

「あ、あの？」

「ああ、今日はな、梓ちゃんが引っ越しの挨拶で回るための手土産を持ってきたんや」

「引っ越しの挨拶？」

「そや」

翡翠と紅玉が居間に入ると、神子たちが、わあっと立ち上がって二人にまとわりつく。

「こーちゃ、こーちゃ」

「ひーちゃん！　おはー」

（オハヨウゴザイマス）

「……」

ふたりの精霊は子供たちの挨拶にとろけそうな笑顔を向ける。

「おはよー、みんな。元気やったー？」

「おお、一段とたくましく、かわいらしくなったようだな」

昨日会っているのに一年ぶりかと思えるようなセリフだ。梓はため息をついて、隣の部屋で着替えた。といってもスウェットパンツをジーンズに履き替えただけだ。

「あの、二人とも……そんなにたびたび来なくても大丈夫ですよ？」

おそるおそる言ってみる。

「もちろんや、梓ちゃん。別に心配なんぞしとらんて。おれら、来たいから来とるだけや」

「そうだ、前のアパートの時はあまり出入りするとうるさがられるから遠慮していたが、この家なら平気だ」

ええ〜、なにそれ〜〜。

もしや、この二人、自分たちが神子に会いたいから一軒家を購入してくれたのか？

「さあ、食事を続けるといい。ん？　おかわりか？　よそってやるぞ」

「玄輝(げんき)はまだ箸が使えんのかー。ああ、いいで、手で食(く)うても」

翡翠と紅玉は子供たちの間に座り込むと、食事の補助を始めた。この二人はとにかく子供たちがかわいくてしょうがないようだ。

梓は苦笑すると、紅玉たちのための茶碗をとりに台所へ向かった。

流し場にある水切りかごから茶碗をとろうとすると、さっとかくれる灰色のもやのようなものが見えた。この家にたまっているという鬼の一部だ。

もう怯えることはなくなったが、やはり見れば気分のいいものではない。あとで紅玉に頼んで祓ってもらおう……。

一

朝食を終えたあと、子供たちは庭に降りて遊び始めた。山茶花(さざんか)の生け垣に突っ込んだり、木によじのぼろうとしたり、固い土を掘ったりしている。

火の精と水の精は、その様子をお茶を飲みながらまったりと見ていた。

「いやあ、やっぱり縁側のある生活ってええなあ」

「うむ、こうやって茶を飲みながら神子たちを見守れるなどと、うれしいことだ」

孫を見る老夫婦のようだ。

「えっと、それで紅玉さんたち、引っ越しの挨拶の品を持ってきてくれたんですよね？」

水を向けると紅玉が「そうやそうや」と言いながら、持ってきたトートバッグに手をいれる。うん、忘れてたよね、完璧に。

「これや」

「これ、タオルですか？」

のし紙のかかったタオルと包装紙でつつまれた四角い箱。

「そや。タオルと千円程度のせんべい・あられの詰め合わせや。今日び、コンビニでもそういうの用意でけるんやなあ」

「コンビニですか……」

「なにか文句があるのか、羽鳥梓」

翡翠が怖い顔をする。梓はぶるぶると首を振った。

「あんまり高いものだともらった方も困るから、と思ってこれにしたんや。これでご近所に挨拶に行ってくるとええ」

「いろいろとお手数かけます」

「いいんや、本来はおれたちがあの子らの世話をせな、あかんとこやったんや。それを今は梓ちゃんに丸投げしてるからなあ」

「そうだ。本当なら卵はタカマガハラで孵って、私たちが清く正しく美しく育てていたのだ。それを世話させてやっているのだ。貴様がおいつかんところは我々でフォローせねばならん」

（伴羽さんが翡翠さんは過保護だと言っていたけど、その過保護の対象って俺にまで広がるのか……）

梓は曖昧な笑みを浮かべた。

「わかりました。じゃあ、九時過ぎたらこれを持ってご近所を回ります」

「なぜだ？　今行けばいいではないか」

「訪問には早すぎますよ」

「情けない。少し前の日本人は日の出とともに働いていたというのに」

「いつの時代の少し前、ですか。とにかく、訪問はもう少しあとです」

そんな話をしたり、部屋の掃除をしたりしているうちに時間は九時を過ぎた。翡翠はそわそわと立ったり座ったりしている。

「まだ行かないのか、羽鳥梓」

「なんで翡翠さん、そんな行かせたがっているんですか」

「別に行かせたがっているわけではない。挨拶というものは早くした方がいいのではないかと思っているだけだ」

「それはそうでしょうけど……」

様子をみていた紅玉がくすくすと笑いだす。

「あんなー、梓ちゃん。翡翠はな、梓ちゃんと一緒に近所に挨拶まわりに行きたいんや」

「え？」

「ち、ちがう！　誤解させるような言い方をするな。いつ私がこの情けない羽鳥梓などと一緒に挨拶まわりに行きたいと言った！」

翡翠は両手をばたばたと振り回した。

「そ、そうですよね」

傷ついていいのかほっとしていいのか。

「だが、神子たちと一緒に行くのなら、同行はやぶさかではない」

「えっ？　子供たち、連れていくんですか？」

梓は庭で遊んでいる子供たちを振り返った。

「そや。なんせ四人もいるんや。梓ちゃんだけではようけ、面倒みれんときもあるやろ？　俺らだってこられんときもある。そんなときはやっぱりご近所さんや」

紅玉はまじめな顔で言った。

「なにかあったとき、頼らんでどうする。遠くの親戚より近くの他人、っていうやろ？」

「そ、それはそうですが」

梓としてはできるだけ他人さまに迷惑はかけたくないと思っている。

「そのためにも子供たちと一緒に挨拶まわりした方がええ、と言うたらな、翡翠のやつが自分も神子たちと一緒に歩きたいと」

「うるさい、紅玉！」

翡翠が白い顔を赤くしている。

「歩き出した神子たちと一緒に下界を散策したいと思うのはいけないか！　本来なら食事を与えるのも着替えさせるのも行水させるのも遊ぶのも、私の役目だったのだ！　それを人間などにゆだねることになった私の喪失感！　私の失望！　それがどんなに大きいかおまえにわかるか、羽鳥梓」

「はあ……」

指を突きつけられ梓はあいまいに答えた。

「はあとはなんだ、そんな軽い一言でかたづけるな！」

「ええっと、ようは子供たちの世話をやきたいということですね」

「そのとおりだ！」

ふんぞりかえって言うことなのだろうか。

翡翠の子供たちに対する執着はかなりのもののようだ。卵が梓のもとで孵ったとき、大仰に嘆き悲しんでいたことを思い出す。

「わかりました。子供たちをつれて挨拶まわりにいきましょう。そのときは翡翠さん、よろしくお願いします」

「おお！　わかってくれたか、羽鳥梓」

梓は庭で遊んでいた子供たちを呼び集めた。

「みんな、これからご近所にご挨拶にいくからね。いい子でこんにちは、って言うんだよ」

「こんちちわ？」

「こにちわー」

（イツモ言ッテル）

「……」

子供たちは四人ともそれぞれに答えた。

「そうだね、いつも公園でママたちにご挨拶してるね。でも今日は、初めて会う人たちだからね。練習してみようか。俺のあとについて同じように言ってみてね」

梓は子供たちの顔をじゅんぐりに見た。

「こんにちは」

朱陽（あけび）と蒼矢（そうや）がすぐに真似をする。

「こんにちわー」

「よろしくおねがいします」

「よろしんにゃがいましゅー」

「んー、よろしくおねがいしますはむずかしいかな」

「むじゅくない！　あえびできんもん！」

朱陽が手をあげる。

「じゃあ、朱陽、言ってみて。よろしくおねがいします」

「よおしくーおにゃが……にゃいましゅ」

「惜（お）しい！　おねがいします、だよ」

「おにゃがいましゅ！」

蒼矢も飛び跳ねながら手を上げた。

「そーや、いえゆ！」

「うん、言ってみて」

「よっしくおいがい、ましゅ！」

「ん、上手上手」

梓は笑って二人に拍手した。それから隣でうつむいている白花に目をやる。

「白花は、まだ声を出すのがむずかしいかな？」

「……」

白花は少し口を開けた。

「こんにちは、って言ってみて」

「……、」

白花の体が前後に揺れる。声を出そうと勢いをつけるためか、頭が前に出てしまうのだ。

しかしやはり声は出ない。

「……っ」

白花が泣きそうな顔をする。梓は優しく頭をなでた。

「大丈夫、大丈夫。きっとそのうち声も出るようになるよ。ごめんね、俺が急がせちゃったね」

「……」

　白花は梓の腕に捕まって、胸に顔を埋めた。

（声出ナクテモ、キライニナラナイ？）

「当たり前じゃないか」

　白花は誰より最初に念話を使えたし、今でも念話でなら語彙（ごい）も多い。白花が声帯を使うことを覚えたらきっとおしゃべりな子になるだろうに。

　声帯の使い方がわからないのかもしれない、と以前クエビコに相談したとき言われた。この姿をとったときに、ちゃんと声帯は作られていたから、理論的には声を出すことは可能なのだが。

「えっと玄輝は……」

　なにかのきっかけできっと声は出るから焦らずに待てとアドバイスをもらっていた。

「……」

　玄輝は眠たげな目を梓に向けた。

「こんにちはって言う気になれない？」

「……」

　玄輝が口をきかないのは理由がわからない。白花と同じように声帯を使うのが苦手なのか、ほんとうにしゃべれないのか、話す気がないのか。

「玄輝、こんにちは」

「……」

玄輝はあくびをした。

「よいではないか、羽鳥梓。話さなくとも玄輝は元気だ」

翡翠が背後で腕を組む。

「それ、洒落ですか。でも俺は玄輝と意志の疎通をはかりたいんですよ」

「今でもなんとかなっているだろう」

「そりゃあそうですけど」

玄輝が自分からなにかしたいと意思表示をすることは滅多にない。梓のすることをほぼ一〇〇パーセント受け入れている。

それがほんとに玄輝の望むことなのか、聞いてみたいと思っているのだが……。

「まあ、こっちもそんなに焦らなくてもいいよね」

玄輝には彼なりのやり方があるのだろう。話したくなったらきっと声をだしてくれる。

梓は焦らずに待つことにした。

「じゃあ、みんな行こうか。今日は翡翠さんが一緒にきてくれるよ」

わっと子供たちが歓声を上げる。

「ひーちゃ、いっしょいく？」

「ひーちゃ、だっこだっこ」

（タカイタカイシテー）

とたんに翡翠の目尻が下がる。

「おお、いいぞ。だっこでもおんぶでも。なんなら空も飛ぶぞ」

「翡翠さん、あまり甘やかさないでくださいよ」

「翡翠、おまえ、久々に孫にあうじいさんみたいになっとるで」

梓や紅玉に言われても、翡翠はうれしそうな顔で子供たちを抱えあげていた。

二

最初に隣の家に向かった。隣の家はブロックを重ねた塀に囲まれた二階建ての家で、庭も家もこじんまりとしている。

門にはアコーディオン式の鉄柵がつき、「仁志田（にしだ）」と表札がかけてあった。

「じゃあ、翡翠さんはここで待っていてくださいね」

塀の前でそういうと、

「なぜだ！　私も一緒に行って神子たちの挨拶を聞きたい！」

「だって、男二人で行ったら関係性をどう説明すればいいんですか」

「保護者といえばいいだろう」

「保護者は俺です」

「では執事とかじいやといえばどうだ、ご意見番でもいいぞ」

「どこの大久保彦左衛門ですか」

なんとかなだめすかして玄関の外で待っていることにしてもらった。本人はすごく不満そうだったが。

梓は子供たちに表札を指さした。

「ここは仁志田さんのおうちだよ。みんなおとなしくしてね、人が出てきたら『こんにちは』だよ」

梓が言うと、子供たちもやや緊張した面もちでうなずいた。

どんな人が出てくるのか、梓も胸がどきどきする。考えてみれば石川荘に入ったときは隣の人に挨拶していなかった。

四年もあそこに住んでいたのに、下にどんな人が住んでいたのかわからなかったし、隣の人ともほとんど顔をあわせていない。

この新しい土地では子供たちのこともあるから、ご近所としっかり縁を結んでいかなければ。

梓は気を引き締めると呼び鈴を鳴らした。

「はーい」

間延びした声が答える。年配の女性の声だ。

「あの、俺、いや僕、隣に越してきた羽鳥と申します。引っ越しのご挨拶に伺いました」

インターフォンに口をつけるようにして言うと、「あらあらまああー」とやはりのんびりした声が答える。

「ちょっとお待ちくださいねー」

梓は子供たちをみた。彼らはおとなしくきちんと並んでいる。

(よしっ！　いい子だ)

やがて玄関のドアが開くと、声のイメージ通りの老婦人が立っていた。

ふわふわした白い髪をして、ピンクのセーターの上にオレンジ色の長いベストをきている。丸い眼鏡が愛嬌(あいきょう)のある、小さなおばあさんだ。

「あらまあー」

婦人は並んでいる子供たちを見て、明るい声を上げた。

「かわいいお子さんたちねえ、みんなあなたのお子さん？」

「あ、いえ。僕の姉の子供たちです」

以前からの設定で押し進める。

「みんな、こんにちは、は？」

かがみ込んで言うと、朱陽と蒼矢が大声をあげた。

「こんにちわー！」

白花はぺこりとおじぎをし、玄輝はちょっとだけあごを引く。

「今、姉は海外に出張中なので僕が留守番と預かりをしているんです。ご迷惑をおかけすることもあるかと思いますが、これからよろしくお願いします」

「おにゃがい、ましゅっ！」

「よっしくおーにゃい、しゅっ！」

ずいぶん変形してしまったが、一応言えた。

「まあまあまあー」

仁志田婦人は目を細めた。

「本当にかわいいこと。ちょっとおじいさん、おじいさん！」

婦人が声をあげると、廊下から老人が顔を出す。

こちらはがっしりした体に長い顔、背も高く、なんとなく砂漠に生えるサボテンを思い出す。頭髪もサボテンに似て、銀色の短い毛がちょぼちょぼという状態だった。

「羽鳥さんですって。お隣さんよ」

「隣だと？」

老人は梓に不審気なまなざしをむける。

「あそこはもうずいぶん長いこと空き家だったぞ。入ったと思ってもすぐ出て人が居つかん。なにかあるんじゃないかと思っておったが」

確かに〝何か〟ある家だけど。

梓は笑顔がこわばらないように努力した。

「こにちわー」

朱陽が仁志田老人に笑いかける。すると、こわもての顔が一瞬にして緩んだ。

「おうおう、いい挨拶じゃのう。いい子じゃ」

「あ、この子は女の子で朱陽といいます」

「そうか、あけびちゃんか。いい子じゃの」

朱陽がほめられたのを聞いて、蒼矢が対抗心を燃やした。

「よーしくおにゃがいましゅ、なの！」

「えっと、この子は男の子で蒼矢です」

「ははは、こっちもいい挨拶じゃ」

蒼矢が振り返って得意気に笑う。そんな二人を見て、白花が口を開こうとする。しかし、唇を二三度動かしただけで、悲しげにうなだれた。

　すると玄輝が動いた。

　いきなり老人の手をとってぎゅうっと握ったのだ。

「ちょ、なにしてるの、玄輝」

　梓は止めようとしたが、玄輝は白花を振り返り、その手も取って老人の手に重ねた。老人は驚いたようだが、白花が恥ずかしそうにうつむいていることに優しい顔をした。

「この、お子は？」

「す、すみません。この子は白花と言います。こっちの男の子は玄輝、です」

　老人はふむふむとうなずいた。自分の手の上に重なった小さな手を、優しく叩く。

「白花さんは恥ずかしがり屋さんなのかな？　なーに、こんなにあったかい、優しい手で握手してもらえたんなら、じじいも嬉しいの。これからよろしくな」

　白花はこくん、とうなずいた。

　玄輝はそうそうに手を離し、我関せずというような顔をしている。梓は玄輝の頭に手をやり、ぎゅっと撫でた。

「あの、これ、ご挨拶にと」

　梓は老夫婦にタオルと菓子折りを差し出した。

「あらまあ、ご丁寧に」

婦人はそれを受け取ると、「ちょっと待っててね」と奥に引っ込んだ。すぐに戻ってきて子供たちにお返し、とお菓子を渡す。

「あ、そんな。けっこうです」

「そう言わずにもらってちょうだい。年寄りばかりだから余らせちゃって」

「そーや、みかんがいい！」

お菓子をひっくり返して眺めていた蒼矢が大声をあげた。

「蒼矢！」

梓は驚いて蒼矢の口を塞いだ。基本、白米しか食べない子供たちはあまりお菓子に慣れていない。あと食べるのは果物や花の蜜だ。

「あら、おみかんが好きなの？」

「しゅきー！」

「蒼矢、止めなさい！」

梓が叱るときょとんと見上げてくる。自分の好きなものを言っただけなのに、と不満気な顔が訴えていた。

「はっはっは。子供ははっきりしている方がいいぞ」

「す、すみません」

謝る梓の目の前に、さっとみかんが四個差し出された。

仁志田婦人がすばやく部屋にとって返し、みかんを持ってきたのだ。年齢のわりに素早い動作で、梓が止める間もなかった。

「どうぞ、おみかんよ」

「あっ、だめですだめです、そんな……」

「いいのよ、さっきも言ったけどどうせ余っちゃうから」

「でも、これじゃあしつけになりません」

困り顔の梓に仁志田老人がうなずいた。

「確かにそうだな。しかしな」

老人は蒼矢の頭にぽん、と手を置いた。

「これはさっき上手に挨拶できたご褒美じゃ。いつももらえるとはかぎらんぞ。覚えておけよ」

「ん」

「みんなでわけるんだぞ」

「ん、」

蒼矢はうなずくと、一個ずつ朱陽や白花に分け与えた。

「どの子が一番年上なの？」

老婦人がにこにこしながら聞く。

「あ、実はみんな同じ年で……」

「まあ！　四つ子なの！　すごいわね」

まるっきり似ていないのだが、そう言っておくとみんな納得してくれる。

「あの、それでは今後もよろしくお願いします」

梓がそう言って頭を下げると、見ていた子供たちもいっせいに頭を下げた。朱陽は梓を見ながら頭を下げたので、体が横向きになってしまっている。

「はいはい、こちらこそ、よろしくね」

仁志田夫妻も頭を下げてくれた。

「じゃあ、みんな、さようならして」

「さよーならー」

「ばいばいー」

話さない白花と玄輝も小さく手を振る。夫妻はにこにこと手を振りかえしてくれた。

玄関の戸を閉めて、梓はほっと息を吐き出した。

ようやく一軒終わった。しかし、かなり緊張するもんだな。

塀の外へ出ると、翡翠が不機嫌な顔をしている。

「遅い、なにをやってたのだ」

「そんな時間がかかりましたか？」

「水がつららになるくらいにはかかったぞ」

「そんな大げさな。次の家へ行きますよ」

「神子たちはちゃんと挨拶できたのか？」

「自分で聞いてみてください」

そう言うと翡翠は自分と手をつないでいる朱陽に、体をかがめて尋ねた。

「ちゃんと、こんにちはと言えたのかな？」

「いえたー」

「そうか。非道な真似はされなかったか？」

「みかん、ちゃったー」

蒼矢が右手に高々とみかんを掲げて見せる。

「おお、そうか。お供(そな)えものだな」

「違います」

向かいの家は三波(みなみ)という表札が貼ってある。敷地は仁志田さんちより広いらしい。えび茶色に塗られた木の塀がぐるりと家を取り囲んでいた。門は観音開きの木製で、軽く押すと内側に開いた。

呼び鈴はかなり年季がはいっているらしく、押す部分が黒ずんでいる。

「ごめんください」

呼び鈴を押すと、呼び出し音としては少し長いんじゃないかと思われる、『エリーゼのために』というクラシックのイントロが、家の中で響いた。

もしかしたら、敷地が広いのでこのくらい長い音じゃないと聞こえないのかもしれない。

「はーい」

元気のいい、女性の声がインターフォンから聞こえる。

「あの、僕、今度お向かいに引っ越してきた羽鳥と言います。引っ越しのご挨拶に伺いました」

インターフォンに向かってそう言うと、「あらー」という声が聞こえた。

「ちょっとお待ちくださいね」

三波家の玄関も引き戸だ。仁志田家も三波家も同じくらいの古さに見える。

磨りガラスの向こうに人影が映り、ガラガラと戸が引き開けられた。

「あらー」

出てきたのは六〇代くらいの背の高い女性で、チェックのエプロンの上に紺色のカーディガンを羽織っていた。目鼻だちが大きく派手で、とくに赤く塗られた口がぱかぱか開くところがセサミストリートのマペットを思わせる。

「はじめまして。羽鳥と言います。昨日向かいに引っ越してきました」

「そうなんですか、あららら、若いわねえ！　そんなお若いのにあの家を？　信じられない。やるわねえ。もしかしてエフエックスとかアイテーとかそういうので大金を稼いでらっしゃるの？　やるわねー！　それとも実は石油王の息子さんとか言うんじゃないでしょうね」

いきなりペラペラと立て板に水のごとく話し出され、梓はめんくらった。

「あの、」

「あららら一。しかもお子さんが四人も！　かわいいわねえ！　あらあら、女の子は美人さんで、男の子はハンサムさんね！　これは将来楽しみだわ、ね、楽しみね。でもなにかと手がかかって大変でしょ。このくらいの年の子供はほんと、うっかり目を離すとちょろちょろ動きまわっちゃうものね！」

「あの、えと」

「そのくらいにしとかんか」

廊下の向こうから男性がやってきて、女性の言葉をさえぎった。

こちらは向かいの仁志田老人と年は同じくらいだが、小さくて丸くて眼鏡をかけ、顔中に白い髭をはやしている。

セーターの上にどてらを着込んで丸く大きな目で梓を見上げた。

（あれ、この人なんかに似ている）

「すまんだな。わしが三波だ。こっちは家政婦の高畠さん」

「家政婦さん……」

「そうなのよ、あら、奥さんだと思いました？　やーねえ、年が離れすぎでしょ。あいにく三波先生はずっと独身なのよ。これでも若い頃はちょっとはもてたんだけど、まあほんと、ちょっとよ。だけど当時は貧乏暇なしだったから結婚する機会を逃しちゃったのね、今更結婚相手を捜しても介護士さんを探す方がましよね」

「……高畠さん！」

三波老人がいらだった声をあげる。高畠はあわてて口を押さえたが、茶目っけのある視線で梓を見てにっこりした。

「あの、ええっと」

高畠のおしゃべり攻撃に、すっかり出鼻をくじかれた梓は、なにを言うべきなのかわからなくなってしまった。

「こにちわー！」

そこに朱陽が大声をあげて挨拶した。

「よーしく、お、にゃがましゅー」

蒼矢も続く。白花と玄輝はぺこりと頭を下げた。

「あらららっ！」

高畠が頬を押さえていっそう甲高い声をあげる。

「なんってかわいらしいの！　お行儀もいいし、ご挨拶もちゃんとできるのね！　まあお若いのにしつけがちゃんとできてること。あら、そういえば奥様は？　ご家族は何人？　どこからいらしたの？　お仕事は……」

「高畠さん、」

三波老人が弾丸のような高畠の言葉を遮(さえぎ)る。

「詮索(せんさく)はやめなさい、そういうのは親しくなってからおいおい知れてくるものじゃ」

「あらッ、そうですか？　情報は最初に知っておいた方があとから気まずい思いをしなくてすむんじゃありません？」

「最初に全部カードを見せられては謎をとく楽しみがなくなるじゃろうが」

「謎解きは先生の小説の中だけでけっこうです。現実世界で考えながらつきあっていくのはめんどくさいですよ」

あれ？　今なにかさらっと重大な情報があったぞ。

「あの、もしかして小説家の先生なんですか」

梓が入うと、高畠がぱちんと手を叩いた。

「そうなんですよ、こちらは三波潮流(ちょうりゅう)先生。本名は三波一(はじめ)ってつまんない名前なんですけどね、ミステリー小説を書いてんのよ。まあ先生先生って言うほどの大作家でもないし、長年やってるわりには未だにパソコンも使えないアナログな人なんですけど」

「よけいなお世話だ」

三波老人はどてらの中に手をいれて腕組みする。体が丸く膨らんだ気がした。

（あ、）

梓は三波がなにに似ているかようやくわかった。

（鬼子母神のすすきふくろうに似てるんだ）

池袋は「いけふくろ」という名前から、フクロウを街のマスコットにしている。そのため街のあちこちにフクロウのイラストや彫刻が置いてある。区役所には壁一面にフクロウの置物の展示があるくらいだ。

その池袋の中でも代表格なのが、鬼子母神の神社で祭の時売られる、すすきでできたすすきふくろう。

真っ白な髪と髭、丸い体に丸い目。三波はそのすすきふくろうによく似ている。

「今じゃそんなベストセラー作家というわけじゃないけど、これでも新作を出せば一応新聞の広告は打ってもらえるほどには売れてるのよ。こんなむずかしい顔のわりにはサービス精神旺盛で、本を持ってくればサインくらいはしてくれますよ。ああ、本は古本で十分です、サンシャイン通りにブックオフがあるからそこで探してみて。でも先生の小説は古本でもなかなか見つからないけど」

「高畠さん……」

三波が疲れた声を出した。

梓は三波老人に同情した。こんなおしゃべりな女性とずっと一緒にいたら確かに疲れるに違いない。

それでも三波の若い頃を知っているのだから、かなり長い間のつきあいなのか。

梓はすうっと息をすうと、次に一気に言葉を吐いた。

「あの、羽鳥と言います。ごらんのように子供が四人います。全員同じ歳で、僕の姉の子です。姉は長期出張中で、その間僕が留守と子供を預かっています。子供は右から、朱陽、蒼矢、白花、玄輝です」

梓は高畠に邪魔される前に、手持ちの情報をずらずらと並べ立てた。

そして手にしたタオルとお菓子の詰め合わせを三波に渡す。

「これは引っ越しのご挨拶です。これからご迷惑おかけすることもあるかもしれませんが、よろしくお願いします」

「おにゃがいましゅ！」

「ましゅー」

「……」

高畠が口を開ける前に、三波老人はさっと手を挙げた。

「そうか、わかった。よろしくな」

「では失礼します」

また高畠のおしゃべりが始まる前に、梓はそそくさと子供たちを玄関の方に押し出した。

「……ああ、羽鳥くん」

三波が声をかける。

「最後にひとつだけ」

「は、はい。なんでしょう」

さすがミステリ作家。定石は外さない。

「あの家に住んで……なにか変わったことはなかったかね」

「え」

それは家に巣くう鬼のことを言っているのだろうか。そうえいば隣の仁志田もあの家には人が居着かない、ということを言っていた。あの家はやはり近所でも有名な問題物件だったのか。

「い、いいえ。いまのところなにもありません」

「そうか」

高畠がまた口を開こうとしたのを手を挙げて黙らせる。遮断機(しゃだんき)みたいだ。

「それならいい。今後ともよろしくな。気軽に遊びにきてくれ」

「はい、よろしくお願いします」

高畠に家のことをつっこまれてはたまらない。梓は子供たちを追い出すようにして家の外へ出た。

「はあああ」

塀まで戻って長いため息をつく。待っていた翡翠が寄り掛かっていた塀から体を起こした。

「どうしたのだ、また遅かったな」

「いや、もう、なんかすごい家政婦さんがいて」

「すごい家政婦だと」

「とにかくよくしゃべる人で。おまけに詮索好きで。まあ悪い人ではなさそうなんだけど」

「ふうん」

「ご主人は作家の先生なんだって。そういえば翡翠さん、ミステリードラマとか好きでしたよね。三波潮流先生って知ってる？」

「み、三波潮流だと！」

翡翠が頭のてっぺんから声を出した。

「知ってるとも！　水曜ミステリー劇場の常連作家ではないか！」

「へえ、そうなんですか」

翡翠はきっとめがねのブリッジに指をかけた。

「羽鳥梓、きさま、あのロングセラー、おしゃべり探偵ミス・ジュンコシリーズを知らんのか」

「おしゃべり探偵……」

「家政婦のミス・ジュンコがおしゃべりしながら秘密や犯人をあぶり出すという傑作推理ドラマだ。テンポもいいし、トリックも本格的だし、他愛ないおしゃべりの中に高度なうんちくが含まれているところがよい」

「ああ……」

あの人がモデルなのかもしれない。下の名前は聞かなかったが。

「本を持っていけばサインしてくれるって言ってましたよ」

「おお！　それでは近いうちにお願いしよう！」

翡翠は小躍り（こおど）りせんばかりに喜んだ。


最後の家はこのあたりでは一番新しそうな家だった。三階建てで外壁は明るい白で塗られている。玄関までは赤煉瓦の三段階段で、鉢植えがみっつ置かれていた。

あいにくどれも枯れていて、少し寂しい感じがした。

表札は喜多川と書いてある。

呼び鈴を押すと、ピンポンと軽やかな音が響いた。

「……」

しかし、中の人が答えるまで、けっこうな時間があった。

「……はい」

聞こえてきたのは元気のない女性の声だ。

「あの、僕、羽鳥と言います。ご近所に越してきたもので、ご挨拶に伺いました」

「……はあ……ご丁寧に……ありがとうございます」

「あの、つまらないものですが、ご挨拶の品をお持ちしましたので」

「はあ……」

インターフォン越しの相手はどことなく迷惑そうに答える。玄関を開けたくないのかもしれない。

しかし、二分ほどしてガチャリと鍵のあく音がした。金属性のドアが細く開く。内側には顔色の悪い中年の女性が立っていた。

白髪がチラホラとある長い髪を後ろでひっつめ、灰色のセーターに白いパーカーを着ていた。パーカーは古いものなのか、ところどころ破れて黒ずんでいる。

「あ、すいません。お加減が悪かったですか？」

その顔色と覇気のなさに思わず口をついてでた言葉だったが、女性は黙って首を振った。

「いえ、大丈夫です……」

「そうですか、あの、これ、どうぞ」

梓は菓子折りを差し出した。女性は「どうも」と言ってすぐにドアを閉めようとする。

それに梓は指をかけた。

「あ、あの、これうちの子供たちです。騒いでご迷惑をおかけするかもしれませんが、どうかよろしくお願いします」

体をずらして背後の子供たちを見せる。一瞬、女性の顔に生気が戻った。

「あら……」

「こーちゃー！」

「よっしくましゅ！」

挨拶もずいぶん短縮化されてしまった。

「こんにちは……かわいいお子さんたちね」

表情のなかった女性の頬が優しくなる。化粧っけはないし、やつれてはいるが、元はきれいな女性だったのではないか、と梓は思った。

「よろしくお願いしま……」

頭をさげたときだった。家の中で、ガチャン！　と何かが割れる音が響いた。女性がはっと顔をあげ、あわててドアを閉める。

「え……」

梓は目の前でいきなり閉まったドアに驚いた。

「あの、喜多川さん？」

呼びかけてもドアは閉められたままだ。ガチャリと内側で鍵の締まる音もする。

「……なんなんだ？」

玄関から三段の階段をおりたところで、しゃがみこんでいた朱陽が梓に向かって「あいっ」と手を挙げた。

「なに、朱陽……」

それを見てぎょっとする。朱陽の手の中に灰色のトカゲが握られている。顔は猿のようで、全身に毛が生えていた。小さな頭を振ってチイチイとかすかな声を上げている。

「これって」

「陰鬼(いんき)だな」

翡翠が腕を伸ばし、親指と人差し指でその動物の頭を摘んだ。とたんに黒いもやになって消える。

「これはうちに巣くっているんですよね？　どうして喜多川さんのうちに？」

「こいつはうちのではない」

翡翠は喜多川家を厳しい目で見上げた。

「これはこの家で発生した鬼だ。この家にはなにかよくないものが棲んでいる」

「え……」

「ここには子供たちを近づけない方がいいぞ」

「で、でも、もしそうなら助けてあげた方がいいんじゃないですか？」

翡翠はじろりと梓を見た。

「甘いことを言うな、羽鳥梓。人が育てた鬼は人自身が解決しなければならない」

「人が育てた鬼？」

「鬼を生むのは人の負(ふ)の思い。育てるのは人の負の念――」

翡翠はすいっと腕を伸ばした。その指先、人指し指と中指、薬指の間に細く身をくねらすものがはさまれている。それは握りこまれ、たちまち散った。

「こんなふうに雑鬼(ザコ)をいくら消しても、それを生み出しているものがいるならどうしようもない。それは人間たちが自らの力で浄化しなければならないのだ」

梓は喜多川家を見上げた。二階の窓はぴったりとカーテンが閉められている。

さっきの何かが壊れる音は上の方でしなかったか？　そこになにか〝よくないもの〟が潜んでいるのだろうか。

「神様は――助けることはできないんですか？」

「神は万能ではない。手助けはできるかもしれんが、そこに人間の意志がなければならん」

「……」

ごく普通の家に見えるのに、中には計り知ることができない闇がある。ご近所ならばいつかその闇に関わることもあるかもしれない――。

梓は子供たちを連れて喜多川家から離れた。

（梓、オウチニ帰ルノ？）

白花が話しかけてきた。

「そうだね……」

喜多川家の角を曲がると大きな通りに出る。その通りを少しいった先に――。

「そうだ、みんなまだスーパーって行ったことなかったよね」

「すーぱー？」

「おっきなお店だよ。今日は翡翠さんもいるからみんなで行ってみようか」

わあ、と子供たちが歓声をあげる。翡翠はあわてたように梓に詰め寄った。

「ちょっと待て。私も行くのか？」

「え？　そうですけど」

「スーパーというとその、コンビニの大きなやつだな？」

「ええ、まあ」

「人も大勢いるな？」

「そりゃあいるでしょうね」

「ひーちゃ、いこー」

朱陽が翡翠の手を取る。

「翡翠さんが一緒にきてくれれば、子供たちも安心だと思うんです。やっぱり俺だけだと四人連れてスーパー回るのはむずかしいんで」

「そ、それはそうだが……」

翡翠の言葉のきれが悪い。

「もしかして、翡翠さん、スーパー嫌いなんですか？」

「……そ、そういうわけではないのだが」

「せっかく、前のアパートより大型スーパーが近くなったので、いろいろ食材買いたいんですよ。子供たちは白米だけでもいいかもしれませんが、これからのために野菜や魚やお肉なんかも教えておきたいし。もしかして、お友達とピクニックにいったり、お呼ばれがあったりするかもしれないんで」

「そうだな、そういう可能性はあるな……しかし……」

「ひーちゃ、いこー？」

「……」

蒼矢も玄輝も翡翠の手をとった。翡翠は青ざめだらだらと汗を流し始める。

「巨大な閉鎖空間で人が大勢いて荷物を満載したカートがものすごい勢いで走ってきてぶつかってよろけた拍子に積み上げられたカップ麺が雪崩をうち、お買い得商品や値下げ商品に群がるご婦人方からちょっとなにしてんのよじゃまよどいてとどつかれて泣きわめく子供のそばにいたら不審者と怪しまれ事務所に連れて行かれて保護者を呼ばれるという辱めを受けるあそこに私を連れて行こうというのか、それもこの神子たちをつかってあざとく誘いおって……再びあの恥辱を受けるくらいなら……くっ、殺せッ！」

「もしもーし、ちょっと戻ってきてください」

翡翠にはスーパーにとてつもないトラウマがあるらしい。聞こえた限りではアニメや漫画にでもありそうな展開だが、こんなに嫌がる翡翠は見たことがない。

おもしろいから連れて行こう。

翡翠は朱陽や玄輝に手を引かれ、いやがる子供のように首を振りながら引きずられていった。

三

そのスーパーはイオンやイトーヨーカドーのような総合スーパーではなく、食品主体の中規模スーパーだ。一階に生鮮食品が並び、二階にお菓子や嗜好品、生活用品などが置かれている。

「うわあ！」

朱陽や蒼矢が目を丸くする。白花と玄輝は無言だったが、やはり驚いているようだった。

（オ城ダー）

「……！　……！」

「おっきいね！　いっぱいね！」

今にも走り出して行きそうな蒼矢の手を、梓はぎゅっと握りしめた。

「翡翠さん、子供たちが勝手に動き回らないようにしっかり手をつないでいてくださいね」

梓が言うと翡翠は首をガクガク振ってうなずいた。すでに虚ろな目になっているのを見て、言い方を変える。

「……朱陽、玄輝、ひーちゃんが迷子にならないように、ちゃんと手をつないでいてね」

「あーい」

「……！」

　二人の子供が手をあげる。

　それを見て、梓は入り口でカートを一つ引き出した。

「そーや、のるー！」

　いきなり蒼矢が梓の手を振り払い、カートの下のかご台に入ろうとした。

「え、だめだよ、蒼矢。そこは人が乗るようになっていないんだから」

「のるー！」

「だめ、降りなさい」

「やー！」

「蒼矢、わがまま言うならこのまま帰るよ」

「やー！」

　蒼矢は顔をゆがめた。

「のんのー！　そーやのんのー！」

　わあわあと泣き始める。そんな蒼矢に白花が近づき、腕を回してぎゅっと抱きしめた。

（蒼矢、言ウコトキカナイナラ、びりびりスルヨ）

びくっと蒼矢が声を止めた。白花が怖い顔をしている。

「やあよ……」

（降リテ）

「……しらなーのばか」

蒼矢はしぶしぶカートから降りた。

木気の青竜は金気(かなけ)の白虎に弱い。蒼矢が言うことを聞かず駄々をこねるときは、たいていこうして白花が叱ってくれるので、梓は楽をしているとも言える。

「蒼矢、えらいね」

「ちんない！」

蒼矢はむくれたまま、しかし梓の服のすそを掴んだ。白花も反対側の裾を掴む。

「白花、ありがとうね」

梓は小さな声で白花に礼を言った。白花はにっこりうなずく。

「じゃあ、行こうか」

梓はカートを押してにぎやかなスーパーの中に入った。

「りんごー！」

「みかんー！」

入り口に山と積まれている果物を指さして、蒼矢と朱陽が叫ぶ。

（ばなな、好キ）

白花も嬉しそうに言った。

（アレ、ナアニ）

指さしたのはイチゴのパッケージだ。イチゴはまだ買ってあげたことはない。というか、梓も自分自身でイチゴを買ったことはない。

なぜなら大学生にはイチゴは高価なしろものだったからだ。同じ理由で、マンゴーもさくらんぼもぶどうも買ったことはない。パイナップルやキウイは食べ方がよくわからないので、やはり買わない。

「あれはイチゴだよ。甘くておいしいんだけど……」

ひとつのパッケージが四九五円か。やっぱり高いな。

「おっきーみかんー！」

蒼矢が興奮して叫ぶ。指さしているのはグレープフルーツだ。

「あれなに？　みかんのおーさま？」

「あれはグレープフルーツ。蒼矢にはまだすっぱいかな」

「しゅっぱい？」

「俺が子供の頃は砂糖をかけて食べたな。ちょっと苦（にが）かったりして大人の味だった」

「おとな、たべりゅの？　そーやはたべにゃいの？」

「はっぱ、あるよー」

朱陽はきれいに並んだ小松菜やほうれん草にも興味を示す。

（アレ、知ッテル、とまと）

でしょ？　と白花が振りかえる。赤くて丸いものが大小さまざまな袋に入っている。

「そうだね、トマトだ。買っていこうか。あとキャベツと白菜……」

梓はビニール袋に五つほど入ったトマトを手にとった。

「あじゅさ、こえもー」

翡翠をひっぱっていった朱陽がパプリカの売り場に移動していた。黄色や赤やオレンジのカラフルで大きなパプリカは、確かに子供には魅力的だろう。

「パプリカかあ。俺、そんなの料理したことないけど……ピーマンの親戚だよね、炒めればいいのかな」

「パプリカは皮が厚く甘みがあるのでそのままサラダにしてもいい。バターやオリーブオイルで炒めてもうまい……」

翡翠がぼそぼそと言う。

「そっか、そのまま食べられるなら便利だね。……う、一個百二〇円か」

この野菜も今までの梓には無縁だった。ほかにもズッキーニやアルファルファなど、つまり漢字で書けない野菜には手を出したことがない。

　しかしこれからは子供たちのためにもいろんな野菜を試してみなくては。

「こえ、たべりゅ！」

　朱陽が期待に満ちた目をしている。仕方なく梓は黄色とオレンジのパプリカをかごにいれた。

「あじゅさ！　おしゃかな！」

　蒼矢が叫んだ。

「おしゃかな！　おしゃかな！　おしゃかな！」

　ぐいぐいと手を引っ張る。トレイに入ってビニールをかけられた魚がぎっしりと並んでいる鮮魚売り場を見て、蒼矢は泡を吹かんばかりに興奮していた。

「しゅっげー、いっぱいー！」

　トレイに手を伸ばして触ろうとするので、その手をやんわりと掴む。

「触っちゃだめだよ。触っていいのは買うものだけ。さっき朱陽の好きな野菜を買ったから、魚は蒼矢に選ばせてあげる。どのお魚が好き？」

「えー！」

　蒼矢はショーケースに身を乗り出すようにして熱心に魚を見始めた。

「おめめ、おっきーね。こえ、まるい。こっち、おくちがとげとげしるー」

蒼矢がじっくり見ているあいだに、梓はしじみ貝のパックや生わかめを手にとりかごに入れていった。

「こえ！　こえにしゅー！」

ようやく蒼矢が決めたものを見て、梓はうっと心臓を抑えた。それは大きくて立派な鯛だったからだ。

「た、鯛かあ」

丸のままの魚をさばいたことはない。だが、大丈夫。このスーパーには魚をさばいてくれるサービスがあるのだ。

「どうすりゃいいんだ？　フライパンで焼いていいのか？」

両面をこんがり焼いて醤油をかけて食べればいいかな。

「ちょっと待て！　鯛は骨が硬くて子供には危険だぞ」

ようやく復帰しつつある翡翠が反対する。

「魚を食べる、という行為を教えるだけなら切り身でもいいのではないか？」

「あ、そうか。切り身って手もあるか」

梓は鯛のトレイをショーケースに戻した。

「蒼矢、俺はあの大きな魚をそのままおいしく食べさせてあげる自信がないよ。小さいのでいいかな。どうせ食べるならおいしいほうがいいでしょ」

「たべちゃだめよー」

「え？」

「おうちにおいとくの」

「蒼矢、スーパーにある魚は置いておけないよ？　腐っちゃう」

「くさっちゃう？」

「うん、腐るってだめになること。食べられなくなること。お魚さんかわいそうでしょ」

「たべるのだめよー」

「蒼矢、食べるおさかな選んでほしいんだけど」

「じゃあこえ」

あいっと気のなさそうな顔で蒼矢がとりあげたのはししゃものパックだ。

「あ、これいいな」

お買い得品一五二円。財布に優しいし、なにより梓にとって料理しやすい。焼くだけだし。

梓はししゃもを二パックかごにいれた。

ほかに卵や牛乳をかごに入れ、次にインスタントラーメンや缶詰のコーナーに向かう。

「……羽鳥梓、まさかとは思うがインスタント麺などを買うつもりではないだろうな」

「え？　だめですか。久々に食べたいんですけど」

　翡翠の言葉に梓がびくっと身構える。

「ばかもの。お前が食べていれば神子たちも食べたがるだろうが。この子たちに塩分の強いインスタント食品など食べさせられるか」

「えぇー」

　梓はカップ麺に未練たっぷりの視線を向けた。

「子供たちが孵ってから全然食べていない……正麺、スーパーカップ、赤いきつね……。一個だけでもだめですか」

「だめだ」

「ううう」

　梓はスーパーカップから名残惜しげに手を離した。

　カートを押してこのコーナーから出ようとしたとき、コーナーの入り口にピラミッド状に積まれているものを見て、梓は雷に打たれたように立ちすくんだ。

「ひっ、翡翠さん、大変です！」

「な、なんだ！」

「ぺ、ペヤングが……っ、ペヤングが九八円ですよ！」

　ピラミッド状のペヤングはまるで白く神々（こうごう）しい光を放っているようだ。

「ああ……！　スーパーでも安くなることがめったにないペヤングが一〇〇円をきるなん

て！　これは奇跡か！　翡翠さん、買いですよ、絶対買っておかなきゃ！」

ペヤングは実は関東ローカルのカップ麺で、福井出身の梓は四年前にはじめて出会った。それ以来の大ファンで、一時期発売中止になったときには血の涙を流したものだった。復活おめでとう。

だが、ペヤングはカップ焼きそばの中では高価な部類に入るので、貧乏な大学生では特売されているものしか購入できない。こんなに安くなっているのは出会って四年という歳月の中で初めてだ。

「だからカップ麺は……」

「これだけ！　これだけですから！　お願いします！」

梓はぱんっと柏手を打って頼み込んだ。

「ひーちゃ、かったげてー」

（梓、カワイソウ……）

女の子たちの同情票を集めたおかげで翡翠はしぶしぶ認めてくれた。

「一個だけだぞ」

「そんな！　九八円ですよ！　まとめ買いしないでどうするんですか」

「食うなと言ってるものをまとめ買いしてどうするんだ！」

「せめて三個！」

そんな言い合いをしているとき、玄輝がピラミッド状のペヤングの山から、ひとつをひょいと抜いた。そのとたん、ペヤングの山が身震いした。

「うわあっ⁉」

それこそ漫画でしかお目にかかれないような出来事が起こった。大量のペヤングがいっせいにフロアに崩れ落ちたのだ。

「うわああっ！」

翡翠が悲鳴を上げた。

「悪夢がっ！　悪夢がよみがえる！」

トラウマを刺激したのか、翡翠はぶるぶると震え上がりそのましゃがみこんでしまった。

「いや、ちょっと翡翠さん。片づけるの手伝って……」

スーパーの店員たちが駆けつけてくる。梓はペコペコ謝りながらも、ちゃっかりペヤングを三個確保した。

「玄輝、ありがと」

ぽん、と玄輝の頭に手を置くと、眠たげな瞳がほころんだ。

インスタント麺のコーナーから出てジュースや冷凍食品のコーナーに回る。後ろをついてきている翡翠はなにか口の中でぶつぶつ言っているようだ。

「はやくかえりたいはやくかえりたいはやくかえりたい……」

「わかった、わかりましたから！　豆腐買ったら終わりにしますから！」

豆腐は冷凍食品の向かいのショーケースにある。木綿豆腐を二丁かごにいれると、梓はレジに向かった。

「あらあ、かわいいお子さんたちね」

ふいにカートの行く手を遮られた。

すらっとしたボディの上品な奥さんが、自分のカートで通路を塞いでいる。彼女は穏やかに微笑んでいた。

「ねえ、一人いただいてもいいかしら」

大根いただいてもいいかしら、というような口調で言われ、一瞬意味がわからない。

「は？」

「こんなにいるんだからいいわよね」

さっと梓の横にいる白花に手を伸ばそうとする。梓は思わずその手を叩いていた。

「いたいっ！　なにをするの」

「あ、す、すみません。でも」

「暴力ね！　暴力を振るったってことは、反撃してもいいってことね！」

「え、あの、」

「おのれの行いを悔(く)いるがいいぞ」

女性の声がいきなり太くなった。同時に延ばしてくる腕がぶちぶちと音を立てて膨れ上がる。

「えええーっ！」

外見はスレンダーな奥さんのまま、右腕だけがクレーンのように巨大になっている。ばさっと音がして、その背中から大きな黒い翼が生えた。

「天狗だ！」

翡翠が叫んだ。

「魔縁(まえん)天狗だ！　羽鳥梓、逃げろっ！」

以前、子供たちをさらった魔縁天狗。まさかこんな街中のスーパーで？

大騒ぎになるぞ、と周りを見て、梓はぎょっとした。

スーパーの中にいる人々が、まるで写真のように動きを止めている。さっきまで聞こえていたスーパーの音楽も聞こえない。

「結界を張られた、この中の時間が止まってる！」

「結界って、ここで!?」

右は冷凍食品の冷蔵庫、左は豆腐や納豆のショーケースのある通路のここで？

「四神を寄越せ」

巨大な腕が伸びてきた。梓はとっさに冷蔵庫のドアを開けてそれを受け止めた。ガツンッと腕がぶつかったが、ガラス戸にはヒビひとつ入っていない。すごい耐久性だ。

「みんな！　翡翠さんのとこにいって！」

武器になりそうなものはなかった。豆腐や納豆でどんなダメージが与えられる？　せめて醤油や油のコーナーだったら……！

「四神を寄越せっ！」

また腕が伸びてくる。梓はとっさに冷凍ピザ五枚セットを顔の前にかざした。鋭い爪が突き刺さるが、三枚目までで防ぐことができた。

「羽鳥梓、一度だけあいつの動きを止められるか!?」

翡翠が背後で叫んだ。

「止めたらなんとかなりますか」

「なんとかする」

「了解！」

とは言ったものの、あの大きな爪のついた巨大な腕をどうやって。

「あ、」

そのとき梓は冷凍庫の中にそれを見つけた。

（こいつだ！）

梓はそれをありったけ取り出した。

「朱陽！　これ急いで温めて！」

そう言うと腕の中の冷凍食品が急激に熱くなった。

「もっと熱く！　沸騰するまで！　蒼矢、これをあいつにぶつけろ！」

叫ぶと同時に魔縁天狗に向かって投げつける。蒼矢の風が方向をコントロールし、朱陽の炎がそれの中の水分を一瞬で沸騰させた。

突沸(とっぷつ)――。

でこぼこや不純物があると液体は沸騰せず過熱状態になる。そこに刺激が加わると、突然、爆発状態を巻き起こす。それを突沸という。

ビニールがパアンッという音とともに天狗の頭上で破裂した。ビニールの中の煮えたぎったものが天狗を襲う。

「ぎゃあああっ！」

魔縁天狗は絶叫した。熱かったからだけではない、梓の投げたものが冷凍サバの煮つけだったからだ。

「サバか！」

翡翠が驚いて叫ぶ。

「よく知っていたな、天狗の弱点を！」

「俺も調べましたから！」

天狗がサバを苦手としていることを梓は知っていた。理屈はわからないのだが、昔から天狗よけにサバが使われている史実がある。

天狗の腕が苦しがって通路に叩きつけられた。梓はその腕に全身を使ってしがみついた。

「翡翠さん！」

「そのままだ！」

翡翠が叫ぶ。彼は今、玄輝と手を握りあっていた。

「冷凍食品コーナーが災いしたな！」

ショーケースから白い霜が、まるで蛇のように伸びてゆく。たちまち天狗の腕に絡みつき、その体まで巻きついた。

「グオォオオッ！」

天狗の体をビシビシと霜が覆ってゆく。たちまち真っ黒な羽根もきゃしゃな体も白く凍りついてしまった。

「やったー！」

梓が振りかえると翡翠はぺたんと床にしゃがみこんでいた。

「大丈夫ですか、翡翠さん」

「ああ、大丈夫だ。ちょっと玄輝に力を持っていかれただけだ」

肩を貸して立ち上がらせる。

「それでどうしましょう？　こんなの……」

通路の真ん中に氷の彫刻が立っている。このままここに置いておくわけにもいかないだろう。

「四神の力を使おう。子供たちに結界を張ってもらい、周囲から見えなくする」

「そんなことができるんですか？」

「うむ」

翡翠は四人の前に膝をつくと、彼らに手を出させた。小さな手がぼうっと柔らかい光を放つ。その光が凍りついたままの天狗に向かうと、全身を覆った。

「これで人間の目には見えなくなった。では天狗の結界を解除する」

「あ、ちょ、ちょっと待ってください、サバの煮つけ片づけないと」

突沸によって散らばったサバが周囲にいい匂いを放っていた。

「そうか、ちょっと待ってろ」

翡翠の周囲から細い水が何条も飛び出したかと思うと、それらが床やショーケースに散ったサバやビニール、液体を洗い流していく。バラバラになったサバの身も集めて一カ所にまとめた。それをさらに凍らせると天狗と一緒にまとめてしまう。

「わあ、便利ですね」

「ピザは買うしかないだろう」

　梓は穴の空いた冷凍ピザを見た。

「サバの代金はどうしましょう？」

「商品がないのに買うこともできないな。申し訳ないがスーパーには供え物をしてもらったということにする。そのかわり、あとでなにかしらのご利益をもらってやる」

　翡翠は指を二本立て、結界に向き合った。

「では結界を解く。私は天狗を運び出すので、羽鳥梓、子供たちを頼むぞ」

「はい」

　翡翠が指を軽く振ると同時に、周囲のざわつきや音楽が戻ってきた。固まった天狗の前を中年の女性が平気な顔で通りすぎる。

　翡翠が運び出すと言っていたがどうするのだろうと見てたら、ひょいと天狗を抱えあげた。物理的に運び出すらしい。

　パニックになったりへたれたり口やかましい姑になったりするけれど、さすがに四神の子供を護るために遣わされるだけのことはある。

「……ピザの穴はどう言い訳すればいいかな」

　梓はかごのなかの冷凍ピザ五枚入りを見ながら考えていた。

終

　買い物を終え、店を出ると翡翠ともう一人、男の人が待っていた。四角い顔に山伏の法衣を着て、長い槍を持っている。異様な姿だが、道をゆく人々はまったく気づいていない。

　天狗は気配を消す術を会得していると聞いた。

「示玖真さん！」

　高尾に棲む大天狗内供坊の眷属、一五郎坊示玖真だ。

「おう、坊主。お疲れだったな」

　示玖真は手を振った。

「お山からいらしたんですか」

「ああ、水精に連絡もらったからな。魔縁天狗は俺らで管理する」

　示玖真の背後には相変わらず氷づけの魔縁天狗があった。今はそれにぐるぐると荒縄がかけられている。

「この間の魔縁天狗……なにかわかりましたか」

「ああ、そうだな……まあ、こんどゆっくり話す」

示玖真は梓の首を脇の下に抱き込み、耳に口をつけた。

「タカマガハラの連中のいないところでな」

「……」

前もそういうようなことを言われた。タカマガハラで騒ぎがあったとき、外道(げどう)を引き入れたものがいると。

示玖真はタカマガハラ自体になにか問題があると考えているようだ。

「水精から聞いたぜ、おまえさん、俺たちの苦手なものを知ってるっていうじゃねえか」

「はい。またいつ魔縁天狗が襲ってくるかわからなかったので、調べておきました。でもなんでサバなんですか？」

「俺も人間だったころはサバの煮つけで酒をやるのが好きだったんだが、羽根をもらってからは近づくのもいやになっちまったなあ。なんだろうな、体質的な弱点なのかね」

「へえ」

「とにかく、これからも油断はしねえことだ。そうだ、これを渡しておこう」

示玖真は梓に小さな竹でできたものを渡した。

「笛だ。俺たちにしか聞こえねえ。なにか困ったことや助けが必要なときがあれば、これを鳴らしてくれ。高尾のお山からすぐに飛んでくる」

「はい、ありがとうございます」

梓は笛を手の中に握りこんだ。

示玖真が手を上げるとバサバサと羽音をさせて上空から天狗たちが降りてきた。周りの通行人たちにはもちろんその姿も見えない。天狗たちは荒縄を持って氷づけの魔縁天狗を引き上げた。

「じゃあ、俺も行くぜ」

示玖真は背中から黒い羽根を広げた。一振りするとふわりと体が浮き上がる。

「じゃあな」

「ありがとうございました、示玖真さん」

みるみる天狗たちの姿が小さくなり、空の中に消えていった。

「羽鳥梓」

一緒に天狗を見送っていた翡翠が振り向いた。

「今回、よく対処できた。アマテラスさまにもご報告しておく」

「あ、はい。翡翠さんもお疲れさまでした」

「まったく……二度とスーパーには関わりたくなかったのに」

「でも翡翠さんのおかげで買い物もできましたし、魔縁もやっつけられましたし、助かりました」

「運がよかっただけだ」

「スーパーはそんなに怖いところじゃありませんよ」

ぼそっとつぶやくと翡翠が白い頬を赤く染めた。

「だれが怖いなどと言った！」

「これからも時々、つきあってください」

「ごめんだ！」

「そんなこと言わずに」

玄輝と朱陽がまた翡翠の手を取る。白花と蒼矢が梓の服を掴んだ。

「さあ、帰ろうか。紅玉さんが待ってるよ。今日はししゃもを焼いて、トマトやレタスを食べてみようね」

「あーい」

子供たちがスキップする。正午の日差しが足元に黒い影を落としていた。

平穏な日々の中、魔はどこにでも潜んでいる。こんな影のように。

その影に決して子供たちを引き込ませない。

梓は胸の中で決意していた。

、遊ぶ

2

引っ越してきてから、はじめて公園へ行く。

前に住んでいた時に通っていた公園だ。引っ越ししてからは少し遠くなったが、やはり仲良しの子がいる場所がいいだろう、と考えたからだ。

この家から近い公園も、もう少ししたら出かけてみよう。新しいお友達も出来るかもしれない。

梓は四人の子供をカートに乗せ、公園への道を進んだ。

いつもと違う道筋に、子供たちが喜んでいる。

「あじゅさー、あえ、なにー」

蒼矢が指さしたのは赤い郵便ポストだ。そういえば今までの公園への道にはそれがなかった。

「あれはポスト。お手紙をいれるんだよ」

「おてまみ、なに？」

「えーっと、なんて言えばいいのかな……。遠くの人とお話できる紙っていうか……お元気ですかって書いてあそこにいれると、遠くの人に届けてくれるんだ」

「そーやもやりたい！　おてまみ！」

「え？　お手紙を？」

蒼矢だけでなく、朱陽も白花もこちらを向き、目をきらきらさせている。

「とーくのひととおはなしすんの。おてんきでしゅか、いうの」

「おてんきじゃなくてお元気ね。でも、みんな、だれにお手紙出すの？」

「しゅさのーきんぐ！」

「くーりゅーちょーかんっ！」

（くえびこサン）

名前が合っているのは白花だけだ。

「あのね、スサノオさまはキングいらないから。それからくーりゅーちょーかんじゃなくてアマテラスさまだから」

子供たちは朝放送されている「四獣戦隊オーガミオー」の影響で、アマテラスを司令官の九龍長官、スサノオをラスボス、スサノオキングだと思っている。

「玄輝（げんき）は誰に……って、寝てるか、そうだよね」

「ねー、あじゅさー、おてまみー」

蒼矢はカートの中で足をばたばたさせた。

「う、うーん、わかった。やり方を考えてみるから……少し待っててね」

「うんっ！」

「あじゅさー、あれはー？」

朱陽が大声を出した。指さす方には金色の大きな犬がいる。ゴールデンレトリーバーのようだ。

今までチワワやポメラニアンが公園にきたことはあるが、あんな大きな犬は四人とも初めて見るはずだ。

「あれはゴールデンレトリーバー。あれもマリちゃんやシャロンと同じ犬の仲間だよ」

「いぬぅ？」

「おっきい！」

朱陽はカートの中でぴょんぴょん飛び跳ね、今にも飛び出したそうにしている。

「今度近くで見せてもらおうね、今日はおあずけ」

「えー、やーの、いまみるのー」

「だーめ。あの子だって急に近づいたらびっくりするからね。今度朱陽が遊びにいくよって梓が言っておいてあげる。だからそれまで待って」

「むー……」

朱陽が口をとがらせてむくれる。だが、すぐに別なものに気をひかれたらしく、カートのへりから上半身を乗り出した。

「ねー、あじゅさ、あれはー？」

今日もいい天気だ。

梓は蒼矢や朱陽の見つけける新しいものをひとつひとつ答えながら、公園への道を進んだ。

「こんにちはー、梓ちゃんー」

「あ、こんにちは」

　いつものように公園のママたちが三人、ぎゅうぎゅうとベンチに詰まっている。

　ユーショーくんママの裕美子さんと、エリカちゃん姉妹のママの樹里さん、そしてマドナちゃんママの絵麻さんだ。

　初めて会ったときからダウンジャケット姿しか見ていないので、中身がどうなっているのかわからない。

　この三人が高速でぺちゃくちゃしゃべると、冬場の今は顔のあたりが白い息でかすんでしまう。

「しばらくこなかったわねー」

「はい、ちょっと引っ越ししてたもので」

「あら、お引っ越し？　どちらへ？」

「近所です。公園には少し遠くなってしまいましたが、でも、遊びにきますね」

「そうしてー。梓ちゃんがいないと寂しいわー」

「うちのユーショーくんも、朱陽ちゃんと会えなくなると泣いちゃうわよ」

「はい、ありがとうございます」

梓が話している間に蒼矢と朱陽はもうカートから降りてしまった。白花も最近では自力で降りる。

カートの中で寝てしまう玄輝だけは、梓が抱いておろした。

「そういえばねえ、梓ちゃん」

絵麻さんがこっそりと囁いた。

「はい？」

「向こうのベンチに男の人が座っているでしょう」

「え？」

「ああ、振り向かないで！」

樹里さんが低く鋭く囁く。

「は、はい」

「とにかく男の人がいるのよ。誰かと待ち合わせしてる感じでもないし、普通だったら仕事をしているこんな時間に公園にいるなんて。なんだかあやしいから子供たちを近づけないで」

「はあ……」

梓は顔をそちらに向けないぎりぎりの角度でなんとかその男性を確認した。

確かにコート姿の若い男性がベンチに腰掛けている。表情は暗く、ぼんやりしているようにも、悲しんでいるようにも見えた。

（男の人が一人で公園のベンチで座っているのも大変だなあ）

同じ男の身の上としては同情してしまう。自分ももし子供たちと一緒でなかったら、不審人物として注意されてしまうのかもしれない。

男だって公園で休憩したりぼんやりしたりしたいだろうに。

まああの人だって余計な不審感もたれたくないだろうから、近づかない方がいいか。

【田中さんと白花】

梓や公園ママたちにそんなふうに思われているとはまったく気づいてない男・田中悟志（たなかさとし）は、コートのポケットに手をいれ、背中を丸めてじっと地面を見つめていた。

夏には地面には蟻（あり）も這うだろう。だが、二月のこの寒さでは彼らも巣穴に閉じこもっているのかもしれない。

蟻にさえぬくぬくとしたあたたかな働き場所があるというのに。

田中は昨日退職を言い渡された。一週間前から告げられてはいたが、心のどこかでそれが撤回されることを夢見ていた。

しょせん夢だ。

朝、いつもと同じ時間に目を覚ました。昼までぼんやりベッドにいて、腹が減ったので買い置きのカップ麺を食べ、それからふらりと家を出た。

だが、遊びに行く場所もなく、近所の公園まで来てベンチに座っている。

コンビニで仕事の情報誌を手に入れてはみたが、ぱらぱら見ても働きたいと思える場所はなかった。

もともと昨日まで働いていた会社も、望んで入ったわけではない。だが、そこよりいい条件のところなど見つからなかった。

貯金もあまりない。このままではすぐに底をついてしまう。

地方で暮らしている親には心配をかけたくない。しかし東京に頼れる友人もいない。

早く職安とかへ行った方がいいと思うが、ベンチから立ち上がる気力もなかった。

パタパタパタと目の前を小さな靴が走っていった。

なにげなく目で追うと、子供たちが走り回っている。

さっきから数が増えた。

まるまると太り、あたたかなフリースに身を包んだ子供たちは幸せそうだ。きっと生活が安定している裕福な家の子供なのだろう。

子供か。

彼女もいない自分は、きっとこの先結婚して子供を持つなんてこともないんだろうな。

仕事もなく、金もなく、恋人もいない。

俺はなんて寂しい人間なのだろう。

（――そんな人間はこの世には必要ないんじゃないか）

不意にそんな考えが頭に浮かんだ。

それはまるで誰かに耳元でささやかれたようにはっきりとした思いだった。

（必要なければ消してしまえばいい）

胸が苦しくなって、田中は前かがみになった。吐く息が白く顔を覆う。

消してしまうって、死ぬってことか？　俺は死ぬのか？　死んでしまえばいいのか。

だけど。

自分で死ぬのは怖い。

（だったら殺してもらえばいい）

まるで会話をしているように、思考が進んでゆく。

だれに殺してもらうんだ。

（誰でもいいさ、ほら、そこの子供を誘拐するとか、殺すとか。そうしたら警察が殺して

くれるだろうよ）

子供を。

田中が顔を上げたとき、目の前に小さな女の子が立っていた。目の上でまっすぐに切りそろえたおかっぱの子で、濡れたような黒髪に、一筋白い髪がまじっている。

大きな黒い瞳をしているその子が、不意に田中に向かって右手を差し出した。

（え？）

その右手の先、小さなこぶしの中になにか掴んでいる。一瞬それは、人の顔をした虫に見えた。その顔は。

（――俺？）

ぎゅっとその子が手を握った瞬間、それは消えてなくなった。

とたんに田中は自分のからだがふわっと軽くなったような気がした。

子供は田中に向かって小さな笑みを見せると、さっと身をひるがえして走っていった。その先に若い男がいて、彼女を抱きとめると膝をついて何か話している。

「………」

俺は何を考えていたんだろう。

田中は自分の思考にあきれ果てた。

たかがリストラくらいで人生に絶望しきっていた。俺にはまだこんなに丈夫な体と少しばかりのたくわえがある。

もともとあの会社だって好きな仕事はしていなかった。せっかく自由な身になったんだから、新しい仕事を見つければいい。

田中はもう一度ポケットから求人情報誌を取り出した。

開いてみると紙面に興味を持つ仕事があった。なぜさっきは見つけれなかったのだろう？

時給のところばかり見ていたからか。確かに時給は低いがこれは面白そうじゃないか。

田中はポケットからスマホを取り出した。

電話番号を入力して耳に当てる。まっすぐに顔を上げると走り回る子供たちが見えた。

（まぶしいな）

田中の唇に笑みが宿った。


「白花、さっきあの人になにか言ったの？」

駆け寄ってきた白花を抱きとめて梓が言うと、白花は首を振った。

「そうなの？」

ベンチに座っている男の前に行ったので慌てて名前を呼んだのだが。

今はその男性はスマホでなにか話しているようだ。

（バッチイノ、捨テタノ）

白花の念話が頭に入ってくる。

「ばっちいの？」

白花は両手をぱんぱんとはたく。梓がその手を取って見たが、別に汚れてはいないようだ。

（砂場デ遊ンデクル）

「いいよ。お水は使わないでね」
（ウン）
白花は駆けだしていった。

ちらりと背後の男性の方を伺うと、彼も走りだしていくところだった。

（ほかの子はどこへいったかな？）

探した目線の向こうに、鉄棒のところに駆けてゆく蒼矢の姿があった。

【瞬くんと蒼矢】

瞬は腹に鉄棒を当て、ぐるんと回った。まだ大きな子たちのように一回転はできない。洗濯物のように鉄棒にぶらさがっているだけだ。

逆さの視界の中に同じ幼稚園の年長組の祐(ゆう)が見えた。祐は砂場の近くのコンクリの遊具で遊んでいる。石がはめこんであったり穴があいていて潜れたりするものだ。瞬たちは「基地」と呼んでいる。

「祐のばか」

瞬と祐は幼稚園に入る前、この公園でよく遊んでいた。まるで兄弟のようと言われ、一番の仲良しだった。

幼稚園にはいったあとも仲が良く、幼稚園のない土曜と日曜にはこの公園に遊びにくる。今日も誘い合ってやってきたのに。

「ばか、ばーか」

さっきケンカしてしまった。ブランコの順番を争ったせいだ。

「もう瞬となんか遊ばない！」

祐にそう言われて瞬はかっとなって祐を突き飛ばした。そうしたら祐は石を投げてきた。

「ゼッコーだからな！」

「うるせー！　こっちこそゼッコーだ！」

……ゼッコーしてしまった。

ゼッコーというのはもう仲直りしないということだ。一緒に遊ばないということだ。

ゼッコーというのはいつまでやるものなのだろうか？　もうじき小学校にはいるけど、そのときは一緒にシューダントーコーというのをするはずだ。

ゼッコーしててもシューダントーコーできるのだろうか？

小学校に入ったら祐は別な友達をつくるのだろうか。その子といつも一緒に遊ぶのかな。オレにも友達ができるのかな。祐みたいにデーブイデーを貸してくれたり、一緒にお菓子を食べたりできるのかな。

もしだれも遊んでくれなかったらどうしよう。

あまり長い間頭を下にさげていたので、顔がぼうっと熱くなってきた。瞬はくるりと回って鉄棒から降りた。

基地を見るともう祐はいなかった。帰ってしまったのだろうか。

「しゅーん」

名前を呼ばれ振り向くと、最近この公園に来だした小さい子が立っていた。たしかソウヤという名前だった。他に三人兄妹がいる。

「しゅん、あそぼー」

ソウヤが小さな手で瞬の服の裾を掴む。どういうわけか瞬と祐はこの子に懐かれていた。以前転んだのを助けたせいかもしれない。

「今日はあそぶ気分じゃねーの」

「あんぐるじむ、いこー」

「あそぶ気分じゃねーっての」

言っているのにソウヤは瞬の手を握る。暖かい手。

瞬はソウヤに手を引かれ、しぶしぶジャングルジムのほうへ歩いた。

「しゅん、のぼろー」

このジャングルジムは小さな子供には不向きのはずだが、このソウヤと、お姉ちゃんらしい女の子はするすると昇っていく。まるで羽根でもついているかのようだ。

瞬は一応年長組として、ソウヤが落ちないように見守っていた。

「………」

一番上に祐がいた。目があって、あわてて下を向く。

（なんだ、祐のばか、こっちにいたのか）

知ってたらジャングルジムになんかこなかったのに。ソウヤのせいだ！

「ゆーう」

なのに、思ってるそばからソウヤが祐を呼ぶ。

「こっちくんな！」

上から祐が叫んだ。瞬は、はっと振り仰ぐ。

「瞬なんか連れてくんな！」

祐はまだ怒っているのだ。瞬は腹が立つより悲しくなってしまった。泣きそうになったが、ここで泣くと祐に馬鹿にされる、とぐっと我慢した。

「ゆう、なーにー？」

「オレと瞬は、いま、ケンカしてんだ！」

「ケンカー？」

「ケンカだめよー」

ソウヤが上と下を交互に見る。

「うるせーよ。瞬、あっちいけよ」

「なんだよ、お前こそ降りろよ」

瞬はジャングルジムに手をかけ、のぼりはじめた。

「くんなよ、瞬のばーか」

「うるせー！　祐のばーかばーか！」

「ばかっていう方がばかだ」

「おまえだって今ばかって言ったじゃん、ばーか」

バカバカ言い合いながら、瞬は祐と同じ段まで登った。祐がきっと睨んでくる。

「オレらゼッコーしたんだかんな！　お前となんかあそばないんだかんな」

「オレだってお前なんかとあそばねーもん！」

「あっちいけ、ばか」

「おまえこそおりろ！」

祐と瞬は、ジャングルジムのパイプにつかまって足で互いの足を蹴りだした。

「ケンカ、めーよ！　ちゃいよー！」

下のほうでソウヤがわめいている。

「もー、瞬なんか友だちじゃないもん！　がっこーも一緒にいかねーもん！」

祐の目に涙が浮かんでいる。瞬は祐も小学校のことを考えていたことに驚いた。でも小学校に一緒にいかない？　やっぱりゼッコーしたら一緒に行けなくなるんだ……。

目の縁が熱くなる。涙が零れそうになる。だけど泣いたらだめだ。

瞬は片手で目を覆った。そのとき祐が足を蹴ってきた。

「あっ」

掴んでいたパイプから手が離れる。頭ががくんと下に落ちた。

「しゅんっ！」

祐が手を伸ばす。その祐の体も同時にジャングルジムから放り出された。

（祐が落ちる！）

だめだ――――！

瞬が思わず目を閉じたとき。


ふわり……。


まるで透明な布に包まれたように体が優しく受け止められた。なにに？

瞬と祐は顔を見合わせた。二人とも空に浮かんでいる。いや、違う。

手の下にきらきら光る青いものがある。それは魚のうろこよりもっともっと大きな、手のひらと同じくらい大きな青いうろこ。

そのうろこはまるで道のようにずっと先に続いていた。その先で、絵本で見たことのある、あれは竜だ。ドラゴンボールに出てくる長いひげと大きな鼻を持つ、

「神龍（シェンロン）……」

（チガウヨ、青龍（せいりゅう）ダヨ）

頭の中に声が響いたときには、二人の足は地面についていた。

「あれ⁉」

祐が声を上げた。

「あ、あれ？」

瞬は祐の顔を見た。

地面に降りている。

「え？　なんで？　オレたち今、シェンロンの上にいたよな」

「あれ、シェンロンじゃなくてセーリューって言わなかったか？」

「でも、いたよな、竜！」

「うん、でっかいの、いた！」

瞬は頭上を振り仰いだ。しかし青空のどこにも竜の姿は見えない。

「いたよな！」

「いた！」

瞬と祐はこぶしを握った。

「すっげー！！！」

二人は興奮して飛び跳ねた。もう喧嘩していたことなど頭の中にはない。そんな小さなこと、今の体験にくらべたら、鼻くそみたいなものだ。

他にだれか見ていただろうか、自分たちが竜の背に乗ったところを。

「ゆーう、しゅーん！」

上から声がした。ソウヤが手を振っている。

「ソウヤ！　今見た？　オレたちが竜に乗ったの！」

「見たよな、ソウヤ！」

「うーん……うふふー」

ソウヤは顔を隠してくすくす笑っている。

「そーや、しんなーい」

「うっそ、うそだね、見たよな！」

「ソウヤ、なあ！　ほんとは見ただろ？」

「しんなーい」

そこにいつもソウヤを公園に連れてきているお兄さんがやってきた。

「瞬くん、祐くん、ソウヤと遊んでくれてありがとう」

「おにーちゃん、今見た!?　オレたち竜に乗ったんだぜ！」

「えっ！」

お兄さんはびっくりした顔をしてあわててあちこち見まわした。

「竜……竜って、そんなのどこにもいないよ、夢でも見た？」

「本当だって！　ジャングルジムの上から落っこちそうになったら竜が背中で受け止めてくれたんだよ！」

瞬と祐はお兄さんの両脇から腕をひっぱった。

本当にオレたちは青い竜の背中の上に乗ったんだ。夢のはずがない。

「そっか……」

お兄さんは少し考えていたようだったが、やがてしゃがみこむと二人の首を自分の方へ引き寄せ、額をあわせた。

「それ、あまりほかの人に……特に大人の人には言わない方がいいよ」

「え？　なんで？」

「竜ってあまり人に姿は見せないものなんだ。あんまり言うと二度と出てきてくれなくなる。今はきっと君たちを助けるために姿を現したんだね。だから、このことは君たち二人の秘密にしといた方がいい」

「ひみつ……」

「うん、そうしたらきっとまた、姿を見せてくれるかもしれないよ」

「――わかった」

瞬と祐は顔を見合わせてうなずきあった。

「このことはオレたち二人のひみつだぜ」

「おう、男同士のチカイだ」

立ち上がったお兄さんに瞬は尋ねた。

「お兄さん、お兄さんはオレたちの言うこと信じてくれるんだね」

「うん……」

「どうして？」

それにお兄さんはにっこり笑った。

「俺も竜を見たことがあるからだよ」


「蒼矢、瞬くんと祐くんを助けてくれたんだね」

蒼矢をジャングルジムからおろして胸の前でだっこする。蒼矢がくふん、と笑った。

「ひーみーつーね、ないしょー」

「そうだね。蒼矢が変身できることは内緒……。蒼矢は俺との約束守っててえらいなあ」

「そーや、えらい？」

「えらいえらい」

「あえびよりえらい？」

うっと梓は言葉につまった。蒼矢はすぐに朱陽と張り合うところがある。

「朱陽と蒼矢は同じ四獣の仲間でしょう？　どっちがえらいってことはないよ」

「あえびはおんなだもん！　おんなはえりくないもん！」

「蒼矢、だれがそんなこと言ったの？」

「ユーショーくん！」

「あー、ユーショーくんねー」

いつもマドナちゃんにやっつけられているユーショーくんなら、腹立ちまぎれにそんなことを言うかもしれない。

「男も女も同じなの。どっちがえらい、えらくないってのは、ないの。そんなこと言ってると器がちいせーってスサノオさまに笑われるぞ」

「うちゅわ？　なあに？」

「えーっと、器量っていうか、度量っていうか、人間自身っていうかー……、蒼矢は大きくなりたいだろ？」

「なりたい！　スシャノーキングくらいおっきくなう！」

「だったら女はえらくないなんて言ってちゃだめだからね」

「ぶーう……」

蒼矢は体をゆすった。

「ありく！　おっりする！」

どこで覚えてきたんだ。

「はいはい」

「はい、は、いちどだじぇ！」

蒼矢を地面に下ろすとブランコに向かって駆けてゆく。

梓はジャングルジムを振り向いた。瞬くんと祐くんがてっぺんに座って空を見ている。あの子たちはもう一度青い竜に会えるだろうか。今日のことを大人になっても覚えているだろうか？

（あれ？）

そのジャングルジムの向こうにおかしな動きをする女の人がいる。

腰をかがめてなにかを地面に撒いているようだ。そして上を見てくるくると回っている。なにをしているのだろうか？

【菜摘さんと朱陽】

公園で餌をまくと、すぐに茶色い頭の雀がやってくる。アワやヒエ、キビ、カナリーシード、四種類の混合シード、それから特別にひまわりの種。

「みどりー……、みどりさーん」

冬枯れした木々にむかってこっそりと呼んでみた。しかし、いつもならすぐにやってくる黄緑色の翼は見えない。

「みどりさーん、出ておいでー」

田端菜摘の飼っていたセキセイインコのみどりさんが逃げ出してもう五日になる。チラシも貼ったしツイッターにも拡散をお願いしてみた。そこでこの公園に緑色のインコらしい鳥がいるという情報をもらってやってきたのだが。

「みどりさーん……」

みどりは五年前にペットショップで一目ぼれして買ったセキセイインコだった。胸の黄緑色の部分がつやつやして宝石のようで、上の羽根の深い緑もきれいな縞になっている。もうかなりのおばあちゃんのはずなのだが、先日、開いていた窓から元気よく飛び立ってしまった。

部屋の中しかしらない彼女が外へ出るとは思わなかった。この寒空の下、震えているのではないかと思うと心臓が潰れそうな気がする。

「あたしがもっとしっかりしてれば。窓が開いていることにもっと早く気づいていれば」

東京で一人暮らしを始めて一〇年。みどりさんは家族と同じだった。

仕事から帰ってくればピョロピョロと嬉し気に鳴き、餌をもらうときも肩や腕にとまって菜摘の手から餌を食べた。風呂上がりに缶ビールを飲みながら、みどりさんに愚痴を聞いてもらえば、ゴニョゴニョゴニョ……とあいづちを打ってくれる。

わかりあっていると思ったのに、やはり広い空がよかったのか。

「みどりさーん……」

みどりさんがいなくなってから菜摘はよく眠れない。

窓を打つ風の音にみどりが帰ってきたかと何度も起きてしまうせいだ。

都内には逃げ出したインコや野生化したインコが一〇〇〇羽以上いると聞いていたが、その群れにはいったのだろうか。

地面に撒いた混合シードはあらかた雀に食べつくされてしまった。菜摘は袋から、もうひとつかみ取ると、地面に撒いた。

「そえ、なーに！」

大きな声がして、餌をついばんでいた雀がいっせいに飛び散った。振り向くと、赤っぽい髪の小さな女の子が、きらきらした目で見上げている。

「なーに？」

女の子は地面に巻いた鳥の餌を指さしている。

「しゅじゅめさん、たべてるねー」

「これはインコの、……鳥の餌よ」

「えしゃ？」

「えっと、鳥さんのごはんなの」

「ごあん！」

女の子は頭から飛び出るような声で叫んだかと思うと、しゃがみこんでそれをつまみあげた。そしてためらいなく口にいれようとする。

菜摘は驚いて女の子に駆け寄った。

「だめよ！　そんなことしちゃ」

しゃがみこんで少女の手をとると、土と餌を払う。

「うー？」

きょとん、と首をかしげるのを見て、菜摘はため息をついた。

「これはね、鳥さんのごはんだから、人は食べちゃ駄目なの」

「だめなの？」

「そう、それに地面に落ちてるからね、ばっちいでしょう？」

「うー？」

女の子は首をかしげたまま、餌をついばんでいる鳥に目をやった。

「しゅじゅめさん、おいしーって」

「そうね、雀さんはおいしいって思うかもね。でもあたしは雀に食べさせるために撒いてるんじゃないのよ」

女の子は雀から菜摘に視線を戻した。

「こえ、だれのー？」

「みどりさんよ」

「みどりしゃん？」

「あたしの飼っていたインコなの。とってもきれいな緑色をしたインコで、あたしの一番大事な友達なの」

「おともだちー」

「ちょっと前に窓から飛んでいったのよ……」

菜摘は座り込んだまま空を見上げた。冬の空はくやしいほど青く高く、この空の中でみどりさんを見つけるのは絶望的だ。

「みどりさんはもうおばあちゃんだから……こんなに寒くちゃきっともう……」

悲しくて涙がでてきそうだ。こんな小さな女の子の前で泣き出してしまうなんて、恥ずかしいけれど。

「みどりしゃん、どこにいんの？」

「わかんない。この公園でみたって人がいるから餌を撒いてるけど、雀しかこないし」

「うー……」

　女の子は手をあげると菜摘の頭に触れた。

「だいじょぶよー、みどりしゃん、いるよー」

　小さな手が頭を撫でるのを感じて菜摘はほほ笑んだ。

「ありがとう。うん、きっといるわね」

「とりしゃん、あえびのちんちぇきなの。だからおてちゅらい、したげう」

「え？」

　なにを言っているのかわからない。ぽかんとする菜摘をそのままに、少女は再び集まりだした雀たちの方を向いた。とてとてと近寄っていくが、雀は逃げない。

　かなりそばまでいくと、少女は雀の前にしゃがみこんだ。はた目にはまるで雀と話をしているように見える。

　やがて雀たちは、ぱっと飛び立っていった。少女は立ち上がって雀たちに手を振っている。

「あんねー、みどりしゃん、ちってるの」

「え？」

「ちゅれてくるって。でもねー、こえ、おいしーからもっとちょーらいって」

　少女が菜摘の持っている餌の袋を指さす。菜摘はふっと笑った。

あたしも小さいころは鳥や猫たちとお話してたな。もちろん、わかっていたわけではないけれど、わかっていたような気持ちで。

この子もあたしと同じで鳥や動物が大好きなんだろう。

「うん、いいよ。雀さんにもっと食べてもらおうか」

菜摘はシードをぱらぱらと撒いた。

「あいがとー」

少女が両手をあげてぴょんぴょん跳ねる。そして空に向かって叫んだ。

「ごあんよー！　おいしーごあんよー！」

そのとたん、さっきよりたくさんの雀が公園の木々から餌めがけて飛んできた。ちょっと驚くくらいの数だ。

「ごあん、もっとー」

少女に言われて菜摘は餌をさらに撒いた。

「あ、みどりしゃん、きたー」

「えっ⁉」

指さす方を見てぎょっとする。西の方からおびただしい数の鳥の群れがやってきた。しかも雀だけではない。白や黄色やオレンジや……そして緑色の鳥もいる。

「ひゃあっ！」

色とりどりの鳥たちは、インコや文鳥、カナリアなど様々だ。公園にいたほかの人たちも驚いて声をあげている。

鳥たちがいっせいに菜摘の前に舞い降りて餌をついばみはじめた。少女が菜摘の足をパタパタと叩く。

「ごあん、ごあん、あげてー」

「う、うん」

菜摘は手にしていた袋の口を開け、全部をその場にまき散らした。鳥たちが美しい翼を広げる。色の洪水、まるでお花畑。

「みどりしゃん、いるー？」

少女が菜摘を見上げて聞いた。

はっとする。そうだ、この鳥の中にみどりさんがいるかもしれない！　菜摘の目は緑色の羽根を持つ鳥を忙しく行き来した。

わかるはずだ、五年も一緒にいたのだもの、あたしのみどりさんなら絶対に。

「………みどりさん」

きれいな黄緑色の胸、緑の縞々の羽、ああ、でも、でも、たくさんいて………。

「ぴょろろ、ぴょろろ」

一羽のインコが甲高く鳴いて飛びたった。まっすぐに菜摘のもとに飛んでくる。

「みどりっ、みどりさん！」

伸ばした手の先に薄いピンクの足が止まる。ぱさっと羽根を広げたインコは菜摘の手のひらの上で体を伏せた。

これはみどりがいつも甘えるときに見せる姿だ。

「みどりさんっ！」

菜摘はインコを手のひらで包んだ。暖かく小さな頭が手の中ですりすりと動いている。

「よかった、よかった、みどりさん……」

膝から力が抜けて、菜摘はしゃがみこんだ。手の中で「ピョロピョロ」とみどりが鳴いている。

「ばいばーい」

少女の声にはっと顔をあげると、たくさんいた鳥たちが去っていくところだった。地面に撒いたシードはきれいになくなっている。

「みどりしゃん、おうちーかえうー？」

少女が振り向いてにっこりした。

「あ、あなた……ほんとに鳥と……」

「んー？」

少女が首をかしげる。ふわふわの赤っ毛が風に揺れた。

「あけびっ！」

公園の奥から若い男性が走ってきた。たぶん、菜摘より年下の青年だ。

「あけび、どうしたの！　今の鳥の群れなんなんだ！」

青年は少女を抱くようにすると、空や公園、そして菜摘の方を見た。

「あ、す、すみません。あけびが、この子がなにかご迷惑をおかけしましたか？」

「え？　いいえ、そんなことありません。かえってあたしが助けられて」

「助けられて？」

「ええ、その子が鳥を……」

言いかけて、菜摘は言葉をのんだ。

その子が鳥たちを呼んだ？　みどりさんを連れてくるように鳥たちに頼んだ？

言葉にしようと思うと途端にばかばかしい妄想に思えてしまう。

「あの？」

青年は不審そうな顔だ。もしかして、なにか悪い方に誤解させただろうか？

「い、いえ。あの、あたし、飼っていたインコが逃げ出して、でも今鳥たちの群れの中にいるのを見つけて……その子が餌をたくさん撒いてって言ったおかげだと思って」

「……ああ、そうだったんですか」

青年は笑った。人の好さそうな笑顔だ。

「この子、鳥が大好きなんですよ。自分が鳥と親戚だと思っているんです」

「ちんちぇきー！」

少女が大声で叫ぶ。

「あえびのちんちぇき、おっきいの、きたねー」

「おっきいのじゃなくて、たくさん、って言うんだよ」

青年が言いかえる。少女はちょっと首を傾げてから、言い直した。

「たくしゃん、」

「そう」

「たくしゃん、とりしゃん、たくしゃん！」

少女は菜摘に駆け寄ると、重ねた手を見上げた。

「みどりしゃん、いーねー」

菜摘は少女の目線にあうようにしゃがんだ。

「みどりさん、見る？」

「みう！」

そっと手のひらをずらす。みどりは目を半分閉じて、リラックスしているようだった。

「みどりしゃん、きれーね」

少女がそっと言う。鳥を驚かせないようにしているのか、優しい声だった。

「うん、きれいでしょ」

少女は満足したようにうなずいた。

菜摘は公園の植え込みのそばに置いていた小型のケージにみどりさんを移し、それを持ち上げた。

「じゃあ、あたし、みどりさんとおうちに帰るね」

「ん、ばいばい」

「……ありがとうね」

「あいがとー！」

なぜ、ありがとうと言ったのか。非現実的だと思っても、どうしてもあの少女が鳥を呼んだように思えてしょうがないのだ。

数歩行ってから振り向いた。少女は青年と手をつないで歩いている。空を指さして何か話していた。

「鳥と親戚……か」

いいな、それ。

菜摘はケージを持ち上げた。みどりさんはケージの中で菜摘を見返す。

「お外は楽しかった？　みどりさん。でも心配だからもう飛んでいかないでね」

みどりさんは答えるように「ピョロロ」と鳴いた。

【泰三さんと玄輝】

児嶋泰三は今日初めてこの公園に来た。

近所に公園があることは知っていたが、引っ越してきてから三十年、公園の中に入ったのははじめてだった。

いつも会社と家の往復の道で横眼にはみていたが。

（昼間にくるとこんなに人が多いのか）

小さな子供やその母親たち、暇そうな若者、仕事の途中の休憩なのかスーツ姿の男性もいる。

公園の中は子供の歓声と鳥の声でにぎやかだった。

泰三はつい先日、四〇年務めていた会社を退職した。リストラでも早期退職でもなく、定年まで勤めあげられたのはありがたかった。

退職したら何をしようか、妻と旅行にでもいこうか、どこか畑でも借りて野菜を育てるかと思ったが、たくわえの数字を見るとあまり贅沢もできなかった。

結局、近所のカルチャーセンターとか、文化センターとかケアセンターとか。

そんなところへいって幼稚な老人相手のお遊戯をするくらいなら、家で爪でも切っていたほうがましだ。

しかし、爪も切ってしまうとなにもすることがない。

毎日家にいると女房に嫌がられると聞いていたので、体を健康に保つためにもウォーキングまがいの散歩をしようと出てみたのだが。

——どこにも行くところがない。

図書館も人でいっぱいだった。そして自分のような老人が多い。

日の入る窓際で背を丸め、うたたねをしている。

そんな風景の一部になりたくなくて、あちこち歩き回り、疲れ果ててこの公園に来た。

（ベンチも埋まっているな）

おしゃべりしかしてないならファミレスにでも行け。昼間っからいい若者が座っているな。お前はさっさと仕事にいかんか。

座っている人々を胸の中でののしっているうちに、子供がひとりでぽつんと座っているベンチを発見した。

見たところ二、三歳のようだ。

あんな幼い子供を一人で座らせているとは、母親はなにをしているのだ。

泰三は少し腹を立てながら、その子供のいるベンチに近づいた。

眠っているのかと思ったが、薄く目をあけている。視線の先には砂場があり、そこで三人の子供たちがうずくまって砂をつみあげている。そばに若い男が立っていて、その子供たちを見ていた。

不意にその若者がこちらを見て、手を振った。

驚いたが、ベンチの子供がぎこちなく手を振り返すのを見て、ああ、保護者がいるのかと安堵した。

泰三はその子供と少し離れて座った。

あまり近づくと、保護者に不安を与えてしまうかもしれないと思ったのだ。

「………」

座っている子供は眠たげな顔をしていた。本当に眠いのか普段からこんな顔なのかはわからないが、子供なら子供らしく、友達と砂場で遊べばいいのに、とも思った。

(いや、もしかして)

自分と同じく、砂場で遊んでいる子供たちを子供っぽいと思っているのかもしれない。

カルチャーセンターへ行ったとき、ボケ防止とか言っていい歳をした大人たちがボールを持ってうねうね動いているのをみたとき、こんなふざけた真似ができるかと思った。もしそうなら、この子は自分の同士だ。

（うん、男は群れちゃいかん。したくないことはせんでいい）

妻に勧められたセンターに入会しなかった言い訳をこんなところでしてみる。

（しかし、……どうするかな）

ついこないだまで会社員として働いていたのだ。人生を投げたような年寄りにはなりたくない。

かといって何ができるのか。

コンビニでちらりと求人情報誌を流しみたり、新聞の求人欄なども見ているが、さすがに七〇ちかい人間を雇うような情報はなかった。

シルバー人材センターへ行っても、公園の掃除とか庭の草むしりくらいしか仕事がないだろうことはわかる。

仕事人間だったので趣味もなかったし、特技もない。

（結局、仕事を辞めたら自分にはなにもないのか）

何度ともなく考えた結論にまた戻ってしまった。

はあっとため息をつくと、その声が聞こえたのか子供がこちらを見た。

きれいな顔をした子だった。たぶん男の子だと思うが、まるでお雛様のようにつるりとした白い肌に、整った目鼻立ちをしている。

この年頃の子供はまるで宝物のようだと思う。言葉を解し、自分で考えはするが、そこに邪悪なものはまるでない。ただあるがままに思い、行動する。打算も偽善も罪もない。無垢。

その澄んだ瞳に見つめられ、泰三は少しばかりの居心地の悪さを感じた。

「あー、………ぼうやは、いくつかな？」

ご機嫌をとるように優しい声を出してみたが、子供は黙っている。

「俺――いや、わたしはね、この近所に住んでいるんだ」

「………」

「わたしはね、六六歳だよ。わかるかな？　六六。君の何倍だろうね、十倍かな？　ずいぶん長く生きているんだよ」

「………」

「だけどね、こんなに長く生きてもね、自分のことはよくわからないのさ。自分がなにをしたいのか、何ができるのか。いや、何もできないかもしれないな」

「………」

「こんな年になったらね、あとは人生のおまけみたいなものさ。ただただ一日をつぶしていくだけなのさ」

なにを言っているんだろう、と泰三は情けなくなった。また愚痴だ。

子供はじっと泰三を見つめている。泰三はなにか恥ずかしくなった。こんな子供に愚痴を聞かせてどうなるというのだ。

「いや、すまないね。わたしはもう行くよ……」

泰三がベンチから立ち上がりかけたとき、不意に子供が腕を持ち上げた。まっすぐに挙げられた腕、人差し指がなにかを指している。泰三はその指の先を見た。

「――」

そこには冬の太陽があった。夏よりは弱いが、その白い光が目に入り、泰三はまぶしくて目を閉じた。

「たいぞうちゃん」

はっと目を開けるとそこに見知らぬ子供の顔があった。坊主頭でえりのすりきれた服を着ている。

「えっ？」

そこは今までいた公園ではなかった。左右が枯れた田んぼの細い砂利道。子供の横には小さな地蔵堂がある。

「こ、ここは」

声を出して驚いた。自分の声がかんだかく、まるで女の子のように聞こえたからだ。

「たいぞうちゃん、早く行こう、みんな集まってるよ」

「えっ？　えっ？」

子供は泰三の手を引っ張った。その手。

泰三は自分の手と、首から下を見下ろした。手はとても小さく、着ているものは綿入れだ。

「早く！」

子供が引っ張る。泰三はもたつきながら走りだした。

（ここはどこだ、こんな場所知らない、この子は誰だ。どうなっているんだ）

長く続く田んぼ。その向こうに青い山脈が見える。

（あれは――あの山は安達太良山じゃないか。じゃあここは福島？）

走りながら泰三は周りを見まわした。知らない場所、と思ったが、見た覚えがある。来たことがある。いや、ここは。

（俺の故郷じゃないか！）

稲を刈り取った茶色い田んぼ。ぽつんぽつんと三角に組んだ積み藁が見える。雪が解けたのか土は湿ってぐちゃぐちゃしていて、強い泥と藁の匂い。

細い砂利道からもう少し大きな砂利道へ。走っていく先に泰三は思い当たった。

（神社だ、子供のころよく遊んだ神社だ！）

境内にいたる石段を勢いよく昇る。走って階段を昇ったことなんてここ二〇年くらいなかった。頭上に鳥居。赤い塗装が剝げて灰色の木地が見えている。

神社の境内には大勢の子供が集まっていた。

（あ、――）

子供たちの顔を見て記憶がよみがえる。

（あれはたっちゃんだ、あれはいちこちゃん、あれはきっちゃん……）

そして自分の手を引いているのは一番の友達だった――

「やすべえ！」

泰三の声にやすべえが振り向く。

「なんだよ、たいぞうちゃん、大きな声出して」

「だって、だってやすべえ……」

やすべえは、中学に上がる前に病気で死んだ。二度と会えない友達だった。

「さあ、子供たち、並んで並んで」

かんかん、と拍子木を打ち鳴らす音がした。顔をあげると子供たちの中に老人がいる。

彼が境内に設置しているのは紙芝居の舞台だ。

「かみしばいやさん……」

老人は舞台を設置すると、子供たちに水飴（みずあめ）やお菓子を売り始めた。みんな小さな手に小銭（こぜに）を握り、争って菓子を買う。

「たいぞうちゃん、お金お金」

やすべえが言う。泰三は慌てて綿入れの下に手をいれ、ズボンのポケットをまさぐった。指先に硬い感触があり、取り出してみると五円玉だ。

おそるおそるそれを渡すと、老人は泰三に割りばしの先に巻き付けた水あめをくれた。

（そうだ、そうだった。この飴をなめながらやすべえと毎日紙芝居を見ていた）

飴やお菓子を買った子は前の方で座り込み、買うお金のない子は後ろの方で立っている。泰三はやすべえと並んで座った。

「それでは黄金バットのはじまりはじまりー」

木の枠の舞台の中におどろおどろしい絵が現れる。老人は張りのある声で物語を読み始めた。それはただ読むだけでなく、悪人のセリフの時は恐ろしく、正義の味方のバットの時は重々しく、女の子が出てくればかわいらしく演技をした。

わずか五分くらいの紙芝居だが、子供たちは真剣に見入っていた。

（ああ――――）

泰三は胸が熱くなった。

覚えている、覚えているのだ、この感覚。毎日紙芝居屋さんが来るのをやすべえと待っていた。次の回はどうなるのか、想像しあった。黄金バットの絵を描いた。

紙芝居屋さんが舞台を片づけはじめ、子供たちが一人二人といなくなる。しかし、泰三はその場所から動けなかった。

「おもしろかったなー、たいぞうちゃん」

「やすべえ……」

「おれ、かみしばい、大好きだ。たいぞうちゃんは？」

「……おれも」

「だよな、たいぞうちゃん、なりたいって言ってたもんな」

「なりたいって？」

「そうだよ、たいぞうちゃん、なりたいって。そしたらおれ、応援するから」

「やすべえ……」

神社は薄暗くなり、やすべえの姿が見えにくくなる。

「やすべえ、俺、なにになりたいって、なにになりたいって言ってたんだ？」

やすべえの姿がない。だけど、声だけが聞こえてくる。

「そんなの、たいぞうちゃんが知ってるじゃないか……」

「やすべえ！」

どすん、と泰三はベンチに尻をついた。

目の前の光景はさっきまでと同じ公園だ。

（夢？）

うたたねしてしまったのか？　しかしなんというリアルな夢だ。藁の匂いも、水飴の味も、まるで今味わったかのように残っている。

そして。

(思い出した。そうだ、俺は紙芝居屋さんになりたかった)

絵が得意で友達にも先生にも家族にも褒められた。大きくなったら自分の紙芝居を持って、村々を回るのだと夢を見ていた。

(まるっきり忘れていた)

やすべえ——俺の絵が好きで、紙芝居屋になったら応援してくれると言った。水飴を作って一緒に売って回ると。

あんなにも早く逝ってしまうなんて。

やすべえに見てもらえなくなって、俺は絵を描くのをやめたのだ。

「紙芝居……」

ふと思い出し、泰三はポケットから紙を取り出した。それにはさっき行ったカルチャーセンターでやっている講座が載っている。

『紙芝居講座　朗読講座　絵を描こう』

紙芝居を。

そうだ、紙芝居をやろう。

自分で絵を描いてお話を書いて、子供たちに見せよう。

今の世の中では需要がないかもしれない、それでも一人でも見てくれる子供がいればいい。

心臓がやたら大きな音で鳴っている。まるで駆けだした子供のように。なにかをしたいという気持ちになったのは久しぶりだ。

泰三は横を見た。しかしあの男の子はいない。

きょろきょろと探すと、砂場にいた。他の子供たちの輪に入り、砂の塊(かたまり)を撫でている。

そのなだらかな稜線(りょうせん)は安達太良山にも見えた。

泰三は立ち上がった。

センターのチラシを握りしめ、口を一文字に結んで公園の出口を目指す。

(俺が紙芝居を作ることができたら、あの子にも見てもらいたい)

そしてやすべえに、たくさんの子供たちに。

足取りは軽かった。神社の石段を走ってのぼれはしないけれど、センターまで休まずにいける。

申し込んで、帰ったら妻にも話そう。

きっと驚いて呆れて、でも笑ってくれるかもしれない。

そんな泰三の口元にきらりと光るものがあった。水飴の残りだったが、泰三は気づいていなかった。

「じゃあ、そろそろ帰ろうか」

梓が砂場にしゃがみこんでいる子供たちに声をかけた。

朱陽と蒼矢はすぐに顔を上げたが、白花と玄輝はまだ砂をいじっている。白花は砂をいじりだすと自分が納得するまで止めることはない。

「白花、続きは明日にしよう？　ね？」

何度かお願いして、ようやく立ち上がってくれた。しかし未練気（みれんげ）に砂場を見つめている。

「玄輝、今日はお砂楽しかった？」

「……」

玄輝はぼうっと考えているようだったが、二〇秒ほどたってから、こくりとうなずいた。

「さっき、おじいさんとお話してたの？」

ベンチに老人が座ったのは見ていた。彼がなにか玄輝に話しかけてるようだったが、玄輝が声を発するとも思えない。

玄輝はまた二〇秒ほどたってから、首をことん、と横に倒した。この反応はわからない。

まあ、老人はどこか機嫌よさそうに帰っていったから、玄輝がなにも話さなくても大丈夫だったのかもしれない。

「さあ、みんなカートに乗ってね」

梓が言うと三人はカートによじ登った。梓は玄輝を抱き上げ、カートに入れる。カートに座ったかと思うと、玄輝は目を閉じて眠りだした。

「さあ、カートでゴーだ」

「ごー！」

「ごー！」

（ごー）

三人がすぐに真似をする。

蒼矢はカートの縁につかまって両足でぴょんぴょん飛び跳ねる。朱陽は空を帰る鳥に向かって手を振っている。白花はカートを押す梓をじっと見つめ、玄輝は寝ている。

「公園、楽しかったかい？」

梓が言うと三人は「うん！」と声をあわせた。

「またいこーね」

「あしたねー」

（砂場、続キ）

がたがたとカートが進む。梓は今日、蒼矢が起こした魔法は知っているが、他の子供たちの小さな奇跡は知らない。でも、きっと毎日奇跡は起こっている。

小さな公園の、長い一日の中で。

、水族館へ行く

2

序

梓が子供たちを連れてくる公園には、犬の散歩にくる人々もいる。

子供は動物が大好きだ。神子たちも犬がやってくると、なにをさておき、そばに駆けつける。

今日来た犬は斉藤さんちのハッピーというゴールデンレトリーバーだった。大人しい犬で、子供たちがどこを触っても怒らない。

「はっぴー、はっぴー、いいこだねー」

朱陽がハッピーの金色の頭を撫でる。

「はっぴー、しっぽぶんぶん」

蒼矢がハッピーの尻尾に顔を撫でられきゃっきゃと笑い声をあげる。

(アッタカイ)

白花はその大きな首に腕を回して抱きついていた。

玄輝は触れないが、梓の横でじっと犬を見つめている。

「あじゅさ、あえび、はっぴーといっしょがいい」

朱陽がハッピーの耳を両手で持ち上げて言った。

「そーやも！　はっぴーしゅきー！」

「うーん……」

梓は唸った。梓も犬は好きなのだが、子供四人に加えて犬までとなると、とても面倒をみきれる自信がない。

「ごめんね。今はちょっと飼えないよ。君たちがもう少し大きくなったら大丈夫かもしれないけど」

「おっきく？　いつ、おっきくなるー？」

これは困った。神子たちが普通の子供と同じ速度で成長するかどうかはわからない。

「きっとすぐに大きくなるよ。そうしたら犬を飼おうね」

「やー！　いまほしいー！」

「今は……、あ、そうだ！　うちには伴羽（ともは）さんと呉羽（くれは）さんがときどき来てくれるじゃない！」

「ともは、ちがうー」

「そりゃ確かに犬じゃないけど、似たようなものだよ」

聞いていたら怒るだろうなーと思いながら朱陽と蒼矢を説得する。

「はっぴーがいいー!」

蒼矢がそうわめいていると、ハッピーの飼い主の斉藤さんがニコニコしながら蒼矢の頭を撫でた。

「蒼矢くん、そんなにハッピーが気に入った?」

「ん、はっぴーすきー」

「ありがとう。でもね、ハッピーは大きいから、やっぱり大人にならないと飼えないよ」

ありがとうございます、斉藤さん! と梓は目で感謝を伝えた。

「お散歩するんでも、今の蒼矢くんじゃハッピーに引っ張られちゃう」

「えー」

「蒼矢くんがハッピーより大きくなったら、飼ってもらうといいよ」

確かに今、四人の子供たちの身長は犬より低い。蒼矢はハッピーの頭を見上げて悔しそうな顔をした。

「ちぇーっだ!」

「蒼矢、そんな言葉使わないの」

一

公園からの帰り道、さくら神社に寄ってみた。今は神のいないお社だが、神使である伴羽と呉羽は残っている。

飛び跳ねるように石段を登った朱陽が、鈴の緒に両手でしがみついた。汚くなってちぎれていた緒も、梓が直しておいたのできれいだ。

ガランガランと振り回し、大声を出す。

「とーもーはーちゃん！　くーれーはーちゃん！」

神使にちゃん付けはどうかと思うが、翡翠や紅玉もひーちゃんこーちゃん呼びだから仕方がない。

「おう、神子たち！　よく来たな」

バサバサと羽ばたく音と一緒に白い羽根が降ってきた。

黒く長い尾を持つ伴羽と、真っ白な呉羽が社の上から舞い降りる。

「ともはー！」

蒼矢が地面に着地した尾長鳥（おながどり）にしがみついた。

「お、おい、こら！　苦しいぞ！」

「ともはちゃん、わん、わん、いってー！」

「はあ？」

蒼矢は伴羽の背にまたがると、頭に手を置いて叫んだ。

「わんわん！」

「誰がわんわんだ！　わしは誇り高いアマテラス様の御神鶏（ごしんけい）だぞ！」

「あじゅさがともはちゃん、わんわんだっていったー」

蒼矢の言葉に伴羽がじろりと梓を見る。

「こ、こら！　そんなこと言ってないでしょ」

「おんなじだっていったー」

「そ、それは、ふさふさしててしっぽがあるところが同じだって」

「でもおみみないねー」

伴羽は蒼矢を背中に乗せたまま梓のもとに駆け寄った。

「羽鳥（はのとり）梓、きさまわしを犬と同列に扱ったな」

「わあ、誤解です！」

梓は弟の呉羽の後ろに回った。

「子供たちが、いつも公園に来るハッピーっていう犬が飼いたいって言い出して……でもうちでは犬が飼えないから伴羽さんに遊んでもらおうと思っただけです」

「ペット扱いではないか！」

伴羽は翼を広げて「コケーッ！」と雄叫(おたけ)びをあげた。

「何故犬が飼えないのです？　一軒家ですし、購入したものなら差し支えないでしょう」

常に冷静な呉羽が首を傾げる。右目にはめた片眼鏡が日差しを反射してきらりと光った。

「ええ、もちろん、今の家では飼えるんでしょうけど、俺に余裕がないんです」

「ふむ、確かに子供を四人世話をしながら犬の面倒をみるのはむずかしいでしょうね」

コケコケと鳴きながら境内を走り回っていた伴羽が振り向いた。

「なんだ、そんなことか。ならわしが犬の世話をしようか」

「ええっ！　そんなの無理ですよ」

梓は鶏が犬のリードを持って散歩している図を想像して叫んだ。

「なぜだ。外国ではねずみが犬を飼っているんじゃないのか。そういう図をみたことがあるぞ」

「それは白い手袋をして半ズボンをはいている、世界で一番有名なねずみですね。あれはともかく、伴羽さんには無理ですよ」

「ねずみごときにこのわしが負けるか！　ねずみなぞわしの餌だ！」

「世界的キャラクターを食べないでください」

伴羽の背中には今度は玄輝と白花が乗っている。伴羽は飛び上がったり回ったりして二人を楽しませた。

「動物が飼いたいならもっと小さなものはいかがですか、ハムスターとかモルモット、文鳥やカナリア」

呉羽の言葉に梓は「うーん」と考えこんだ。

「小さいものですか。でも生き物の世話はやっぱり……」

「ミミズがいいぞ、世話いらずで」

子供たちを降ろした伴羽がやってきて言った。

「飼いません」

「ミミズはあれでけっこう賢いのだぞ。雌雄同体だから二匹いればすぐに増えるし土もこやすし」

「だからどうしてそんなにミミズ押しなんですか」

「うまいからな」

「だから！　すぐに食べる方に直結しないでください！」

梓が伴羽と漫才を演じている間、子供たちは境内を走り回ったり、木の根本をほじったりして遊んでいた。

「ともはちゃーん、むし、みちゅけたー」

朱陽が得意げに持ってきたのはダンゴムシだ。越冬中を急に起こされたダンゴムシは、外敵から身をまもるべく、固い表皮を丸めてじっとしている。

「こりぇ、たべゆ？」

「おお、いただくぞ」

伴羽は朱陽の手からくちばしでそれをつまむと、ひょいと放り投げて受け止めた。

「ともはちゃん、じょうじゅー」

「うむ、こりこりした中にもまったりとした味わいが」

「おいしーの？」

「ダンゴムシは実は虫ではなくて海老や蟹の仲間だからな」

「ふーん、あえびもたべゆー」

泥だらけの手でだんご虫を口にいれようとする朱陽を、梓ははがいじめにして止めた。

「だめー！　朱陽、捨てなさい！」

「なぜだ、羽鳥梓。ダンゴムシはな、大正時代に異国から入ってきた渡来種なのだ。わしらにとってはハイカラな味なのだが」

「味の説明はいいですから！」

「神子らは人間ではないのだから、別に虫を食おうが泥を食おうがかまわんではないか」

「お友達と遊んでいるとき、そんな真似したらどうするんですか！」

顔を突き合わせる梓と伴羽のあいだに呉羽が割って入った。

「兄者(あにじゃ)、神子たちは人間の姿をして、人間の世界で生きているのですから、あまり我らの真似をさせてはいけませんよ」

「む、そうか」

伴羽は朱陽に向かっていった。

「それではこんど、ダンゴムシよりもう少し食べやすい虫を教えよう」

「まず虫を食べないというのを教えてください！」

「梓さん、それでは動物園などいかがですか」

伴羽と言い合ってぜいぜいと肩を上下させている梓に、呉羽が落ち着いた声をかけた。

「ど、動物園ですか」

「家で飼えないなら見るだけでも」

梓はうーんと腕を組んだ。

「でも動物園っていうと上野か吉祥寺ですよね……あんな遠くまで子供たちを連れ出すのはまだ早いかなあ」

電車に乗ったり、大勢の人の中を歩かせたりすることに不安がある。

「動物園だと広すぎて迷子になるのが怖いですし、遠すぎます」

「地元にあるじゃないですか」

呉羽が片方の羽根で器用に片眼鏡を押し上げる。

「え？」

「サンシャインの水族館ですよ」

「あー」

梓はぽん、と手をあわせた。

「魚中心ですが、ほ乳類もいたと思います」

「いましたね、小さな動物園が一緒になってたんだ」

「あそこなら徒歩圏だし、屋内だから最悪迷子になっても探しやすいでしょう」

「そうですね……」

「規模は小さなものですが、展示生物の数は国内のものの中でも一〇指に入るとか」

「へえ」

スーパーで魚をみただけでも喜んでいた子供たちだ。実際に泳いでいるところをみせたらどんなに驚き、喜ぶだろう。

梓はそのときの子供たちの顔を想像し、楽しくなった。

「よし、明日、みんなで水族館に行こう！」

「しゅいじょっかん？」

「しゅいじょくかんってなあに」

梓の言葉に子供たちが集まってくる。

「お魚がいっぱいいるところだよ、大きな水槽の中で生きたお魚が泳いでいるんだ」

「おしゃかな！」

蒼矢が目を輝かせる。

「鳥もいるかもしれないね」

「とり！　あえびのちんちぇき！」

朱陽が飛び跳ねた。

「そうだ、玄輝。水族館には大きな亀もいるよ」

「……」

眠たげだった玄輝の目が一瞬、かっと開く。

「ほ乳類はなにがいたっけ……。ペンギンってほ乳類だっけ」

「いえ、鳥類ですね」

呉羽が冷静に修正してくれる。

「確か、コツメカワウソとキツネザルがいたと思います」

「だってさ、白花。楽しみだね」

白花はこっくりうなずいた。

「呉羽さん、ありがとうございます。みんなに楽しい思い出をあげられそうです」

「神子たちが楽しんでくれれば私も嬉しいです」

「おい、わしだって今日神子たちを楽しませただろうが！」

伴羽が梓の背中をばしばしと足で蹴る。

「わあ、わかってますよ、伴羽さんもありがとうございます！」

「誠意が感じられんぞ！」

二

翌日の午後、梓は子供たちを連れてサンシャイン六〇へ向かった。平日だがメインのサンシャイン通りは人通りが多い。子供たちは人ごみに慣れていないので、銀行が立ち並ぶグリーン通りの方から行くことにした。

車が激しく通る大通りに目を丸くしたり、背の高い建物を見上げてひっくり返ったりしながら、ようやくサンシャイン六〇に到着する。

地上高二三九・七メートルの超高層ビルは、いまでこそ珍しくもない高さだが、それでも新宿のように高層ビル群が密集して建っているわけではないので、近くによればやはり威圧感のある高さだ。

サンシャイン六〇、商業施設アルパや水族館を有するサンシャインシティ、プリンスホテルなどがひとかたまりとなり、サンシャイン区とも言うべき広さと多様さを供えた繁華街。出入り口も多数あり、一度はぐれれば再会はむずかしい。

梓は左右に蒼矢と朱陽の手をしっかりと握っていた。この二人にさえ注意していれば、白花はいうことを聞くし、玄輝は自分からは動かない。それでも湿っぽく小さな二人の手は、ときどきすっぽ抜けてしまいそうになる。

「朱陽も蒼矢も、ここで梓と離れたらもう会えなくなっちゃうんだからね。絶対、手を離しちゃだめだよ」

「あーい」

そう言った一瞬後に、駆けだそうとする二人だ。気が抜けない。

館内は子供たちには刺激が強すぎるショッピングモールとなっているので、できるだけ店の少ないルートを選んで、水族館直通エレベータホールまでやってきた。前日にネットで調べておいたので最短距離でこれた。

土日や夏休みなどには水族館やプラネタリウムへ行く人々で混み合うエレベータも、平日の午後ではガラガラだ。

（そういえば子供たちはエレベータも初めてなんじゃないか）

ドアが閉まってから梓はそれに思い当たった。

水族館は九階の上、屋上だ。

「わあっ！」

エレベータが上昇するやいなや、子供たちは悲鳴をあげてしゃがみこんだ。

「いあああああっ！」

「ひぎゃああっ」

（気持チ悪イ）

「……っ」

四人ともが耳や頭を押さえて泣きだした。

「だ、大丈夫だよ！　すぐ止まるから！」

梓も一緒にしゃがみこんで子供たちを腕の中に抱え込んだ。

（しまった！　子供たちがこんなにエレベータに弱いなんて、考えもしなかった）

自分がごく当たり前に使っているものでも、まだ人として生まれて間もない彼らには刺激が強すぎるのだ。

「おんりー！　おんりするー！」

「も、もうちょっと、もうちょっと待って！　すぐだから！」

梓はエレベータの表示を見上げた。

四階……五階……六階……。焦れるほど遅い。八階……九階……そして。

「ついたよ！　みんな！」

エレベータの扉が開くと、梓は子供たちを抱えて転がるようにエレベータを出た。

「ほら、もう降りたよ！　もう大丈夫だからね」

オロオロしている梓の耳に、バシャバシャと水の流れ落ちる音が聞こえてきた。

「おしゃかなっ⁉」

蒼矢が涙を払って立ち上がった。梓が止めるまもなく、駆け出す。

それは三メートル近い幅広の水の流れが、コンクリートの小さなプールのようなところに流れ落ちている音だった。

「おしゃかなっ、おしゃかなっ！」

蒼矢はそのプールの縁にしがみつき、中を覗く。

「……おしゃかな……いなーい」

がっかりした顔で梓を降り仰ぐ。ほかの子供たちも一緒にその水の中を覗いた。

水はさかんに落ちてはいるが、中はたまっているだけでなにも泳いでいない。

「ああ……これはたぶん、噴水みたいなものだよ。なんていうか、ディスプレイ？　飾りっていうか」

「でぃー？」

子供たちの目にもう涙はない。梓は蒼矢の魚好きな性格に感謝した。とりあえず全員、エレベータのことは忘れてくれたらしい。

「お魚はね、向こうだよ」

エレベータの左隣に入場券の販売場所がある。その向こうが入り口だった。プラネタリウムに行く通路と、水族館に進む通路が左右で別れている。

梓は販売所で入場券を買った。大人一枚二〇〇〇円、子供は四歳まで無料。

（太っ腹！）

正直助かった。子供料金は高くはないが、やはり四人分はきびしい。

水族館に続く通路を歩いていると、遠くから鳥なのか、するどい声が響いてきた。朱陽がとっさに飛びだそうとするのを手を握って止める。

「朱陽、鳥さんはお魚のあとにしようね」

「むー？」

朱陽は不満そうに口をとがらせたが、反対側の蒼矢はぐいぐいと手を引っ張っていく。明るい外から暗い水族館の中に入ったとたん、梓と子供たちは声を失った。

「わあー……」

そこはクラゲの漂う通路だった。天井と左右の壁がドーム型のガラスになっていて、その中に無数のクラゲが漂っている。

「あー……」

蒼矢はガラスにぺったりと張り付き、両手でクラゲを追った。朱陽も不満を忘れて白く輝くような姿に見とれている。

白花も玄輝も無言でガラスにおでこをくっつけていた。

「すごいねー……」

実は梓もサンシャインの水族館に来たのは初めてだ。四年も池袋に住んでいながら、行こうという気持ちもなかったし、機会もなかった。彼女でもいれば無難なデートコースとして選んでいたかもしれないが。

「もう少し先に進もうか、大きな水槽があるらしいよ」

なかなか先に進まない子供たちをそっと押しながら、クラゲの通路をでる。すると、室内の中央に、色鮮やかな魚たちの泳ぐ巨大な水槽があった。サンシャインラグーンと呼ばれる水族館の目玉のひとつだ。

部屋の中がまっくらなので、その水槽自体が輝いているように見える。その中にさまざまな魚が泳ぎ、漂い、群れていた。

「――――……!」

子供たちは無言で水槽のガラスにとりついた。

「すごいな……」

梓も驚いていた。ここが商業施設の中ということを忘れそうなくらい大きな水槽だ。

「――実は」と梓の耳に昨日の呉羽の言葉がよみがえった。

「サンシャイン水族館のメインの水槽はさほど大きなものではないんです」

梓が水族館へ行ったことがないと知って、呉羽が教えてくれたのだ。

「水量は二四〇トン。小学校の標準プールが五四〇トンですからその半分ですね」

「そうなんですか？　そう聞くと小さいですね」

「ええ。けれど、照明の工夫や水槽の中のレイアウトや水槽そのものの形で大きく見せているのだそうですよ」

「へえ」

「そもそもビルの一〇階に大量の水を確保するということもむずかしいのです。その制約の中で作られたものです。人間の知恵はすばらしいですね」

いやいや、十分大きいですよ、呉羽さん。

水槽の中の岩が、遠くにあるものほど色を濃くしてあったり、水槽の形を扇形に作り、手前は広く、奥を狭くするという遠近法を使って、ずっと奥まで続いているように見せているのだ。

思い出してみれば水族館など、小学生の時授業で行った記憶しかない。そのときはどんな感想を持ったのか覚えてはいないが、もし自分が子供でこの水族館に来たなら、きっと世界で一番きれいな場所だと思うかもしれない。

都心で、ビルの中で、こんな海の真ん中を切り取った風景に出会えるなんて。非日常とはこのことだ。

「あ、げんきだー」

朱陽が笑い声を上げた。

指さす方を見ると、大きな亀がゆったりと泳いでいる。

「ほんとだ。亀だね」

玄輝はどんな反応なのかな、と見ると、ガラスに顔を押しつけるようにして、真剣な顔をしている。

と、その亀がすうっと下の方に泳いできた。ちょうど玄輝の顔の前にくると、大きな目をぱちりぱちりと閉じたりあけたりする。

亀には玄輝が玄武の子供であることがわかるのだろうか。

「はは、玄輝。亀さんがサービスしてくれ……って、えええっ！」

玄輝の体がガラスをすり抜けて半分水の中に入っている。

「なっ、なにしてるの玄輝！」

あわててその体を捕まえようとしたが。

「――――！」

するり。

一瞬の差で、玄輝は全身を水槽の中へ入れてしまった。

(四獣は境界を支配するもの。それって境目を守ったりするだけじゃなくて、逆にあやふやにしたりもするのか？)

梓はガラスに両手と顔を押しつけて、亀の後ろについて泳いでいる玄輝の姿を追った。

(玄輝！　戻りなさい！)

玄輝は楽しそうに水の中を泳いでいる。

「あー、ママー、男の子が水の中にいるよー」

声に振り向くと、幼稚園くらいの女の子が母親に向かって言っていた。

「ねー、ママー、こどもー」

指さしているのは亀と一緒に泳いでいる玄輝の姿だ。母親は子供の指先の方を見て、首を傾げた。

「お魚さんのこども？」

(えっ？)

梓は母親の顔を見上げた。母親の視線はしっかりと水槽に向いている。しかし、玄輝の姿は見えていないようだ。

「ちがうよー、男の子だよー」

幼稚園児は自分の言葉が伝わっていないことに不満のようだった。しかし、梓はほっと胸をなで下ろした。

子供には見えるようだが、親には玄輝の姿は見えていない。今のうちに玄輝を呼び戻さなくては！

（玄輝！　戻ってきて！）

ガラスをばしばし叩いたが、玄輝はしらんぷりをしている。

（玄輝！　戻りなさ……だあっ！）

悲鳴を上げなかった自分をほめてやりたい。水槽の中に、玄輝だけでなく、蒼矢や朱陽、白花の姿もあったのだ。

（み、みんな！）

いつの間にか残りの三人もガラスの境界を越えたらしい。

蒼矢はくるくると回転しながらものすごい勢いで水槽の中を泳ぎ回っている。朱陽は上から下へ、また上へと上下運動を繰り返し、白花は水槽の中の岩を相手にロッククライミングをしかけていた。

（みんなあっ！）

水槽に顔を押しつけて叫んだ瞬間、梓の体も水の中にあった。

ガボガボガボ……。

（溺、溺れ、溺れる……？？）

自分の口から激しく吹き出る泡を見ながら、梓が思ったのは、水族館の人に救出されたときどう言い訳しようかということだった。

しかし。

（あ、あれ？）

口から泡がすっかり吐き出されたあとも苦しくない。すうはあと呼吸もできる。

（なんだ、これ）

手を目の前にかざしてみると、うっすらと光っている。頭を起こしてみた全身も、同じように輝いていた。

あわてて周りを見回すと、そばに玄輝や蒼矢がいた。にこにこしている。

（これって……みんなの力？）

以前、魔縁（まえん）天狗に襲われたとき、四人の力で結界を張り、守ってもらったことがある。これはその結界のごく薄いバージョンなのかもしれない。

自分の置かれた状況を理解したあと、梓は観客がいるはずの水槽の外を見た。たしかにお客はいる。だが、誰も——小さな子供以外は——自分の姿は見えていないようだ。

子供たちは盛んにこちらを指さし保護者になにか言っているようだが、誰も騒いでいるようすはない。

ぽかんと口を開けている幼い観客に梓は手を振った。

(俺は水族館のスタッフの人だよー。お魚さんに餌をあげているんだよー)

ごまかせるかどうかわからないが、満面の笑顔を作ってみる。

玄輝が梓の服を掴んでぐいぐいと引っ張った。一緒に泳ぎたいようだ。

(しょうがないな。一泳ぎしたらちゃんと外にでるんだよ?)

口に出さず、胸の中でそう言ってみると、玄輝はこっくりとうなずいた。

(はあ……)

気持ちを変えて遊んでみる方を選べば、水槽の中は快適だった。ごく間近に色とりどりの魚が泳ぐ。小さいのもいれば、不意うちで大きいのも鼻先をかすめる。怖い顔をした鮫(さめ)やエイ、銀色の小さな魚の群れ、地面から顔を出す細長い魚……。

(すごいなー、プール半分くらいって聞いてたけど、入ってみるとずいぶん広い。端っこなんて見えないじゃないか)

このままずっと海が続いているようだ。

梓は玄輝のあとについで泳いでいた。背中に軽く重みがかかったかと思うと、朱陽がくっついている。蒼矢と白花も梓の左右に並んだ。

(みんな、楽しい?)

そう聞くと、すぐに頭の中が（たのしい）という言葉で埋まった。だが、聞くまでもなかった。子供たちは全員、笑顔なのだから。

（水族館はプールじゃないんだけど……まあ、滅多にないことだからいいか）

水槽の端までいったらみんなに言ってやめさせよう、と思っていた。だから気楽に泳いでいたのだが……

（あ、れ……？）

不意に違和感に気づいた。

（……広すぎないか？）

いくら広く見せることに特化した水槽だと言っても、二五メートルプールの半分のはずだ。こんなに長く泳いで端にたどり着かないってことない。

梓は上を振り仰いだ。

照明がない。暗い水だけがある。

（ちょ、ちょっと、待って！　みんな止まって！）

だが、玄輝はどんどん先に泳いでいく。しかも下へ下へと向かって。

（下？　下って、いつのまにこんな深さに）

魚の数も少なくなっていた。玄輝以外の子供たちは不思議そうな顔で辺りを見回し、梓のそばに寄ってくる。

（玄輝！　止まって！）

泣きそうになりながら必死に玄輝を追う梓の前に、ぬらりと二体の大きな魚が現れた。頭の上から尾にかけて青く輝き、大きな背ビレと翼のような胸ビレを持っている。

（……ご安心ください）

「え？」

今、話しかけてきたのはこの魚か？

（……さようでございます）

（……ここへは私たちの主がご招待しました。どうか落ち着かれますよう）

二匹の魚は互いにゆっくりと身をくねらせて、おじぎらしきものをする。あっけにとられている梓の脇の下に入り込むと、すうっと前進した。

（ちょ、ちょっと！）

（……主の元までお連れします）

（待って！　子供たちが！）

（……大丈夫です。四獣のお子たちも我等（われら）がお送りします）

振り向くと子供たちはそれぞれ魚の背に乗ってあとを付いてきていた。

（主って誰？　まさか魔縁天狗じゃないよね）

（……そのようなものは存じませぬ）

（……我等の主は国の海をつかさどる綿津見大神（おおわだつみのかみ））

（わだつみのかみ……）

（……主の居住が見えてまいりました）

はるか下の方に、白く輝くものが見えてきた。それは巨大な渦巻き型の貝のようにも、白い薔薇の蕾（つぼみ）のようにも見える。梓たちが近づくと、そこから無数の泡があふれてきた。

その泡はたちまち梓や子供たちを包み、そのまま建物の内側へと吸い込んでいった。

三

泡に包まれたまま漂っていたかと思うと、そのうち泡が上昇を始めた。上の方は光があたり明るい。ゆっくりと昇っていき、やがてぷかり、と海面に浮き上がった。

泡はその形を保ったまま、目の前に見える白い砂浜へと打ち寄せられるように移動した。

砂の上に乗り上げたとたん、ぱちん、と泡は弾ける。

ざあっと波が足の下の砂を削っていき、梓は倒れそうになった。

「……陸、地？」

声が出る。ということはここは海の中ではないのか？

「あじゅさー！」

声にびくっと振り向くと、蒼矢と朱陽が叫びながら駆け寄ってくるところだった。白花は玄輝の手を引いてゆっくりと歩いてくる。

「蒼矢、朱陽！」

梓は砂に膝をついて、駆けてきた蒼矢と朱陽を受け止めた。

「白花、玄輝、無事か？」

遅れてきた二人も元気そうだ。

「あじゅさ、おもちろかったねー」

朱陽がけらけら笑う。

「おしゃかな、いっぱいいたねー」

蒼矢も満足そうだ。

（オッキナ砂場ネ）

白花の感想に、梓は首を振る。

「違うよ、白花。ここは砂場じゃない。砂浜っていうんだ」

（砂浜……）

梓は周りを見回した。砂浜はずっと遠くまで続いているように見える。陸の奥の方は緑の濃い森になっている。南国の無人島のようなイメージだ。水は透き通っていて波は穏やか。こんな到着の仕方でなければ、心が癒される風景だ。

「海の神様にご招待されたって言うんだけど……いったいどうして……」

「やあ、ごめんごめん」

サクサクと砂を踏む足音と、陽気な声に、梓は振り向いた。

そこにはこんがりと日に灼けた若い男性が立っている。

長く伸ばした髪は黄色く染められ、鮮やかな和柄のアロハシャツを着ていた。顔の上には丸いサングラスが乗り、耳には貝殻のピアスが揺れている。

「俺が綿津見大神だよ。無理やり連れてきてしまってほんとにごめんナ？」

「え……」

梓は目をぱちくりさせた。今まで会った神様の中で、クエビコくらい緊張感のない神だ。このままどこかの渚で女性をナンパしにいってもおかしくない。

「オオワダツミノカミ……さま？」

「ワダツミでかまわないよ。いろんな名前で呼ばれるからネ？」

ワダツミは砂の上にどさりと腰を下ろし、梓にも座るよう手を振った。

「あ、でも子供たちが……」

さっそく神子たちは砂浜で遊び始めている。白花は砂山を作りだし、蒼矢は浅瀬でばしやばしゃと水をはね上げ、朱陽は波に乗っては砂浜に打ち寄せられるのを楽しんでいた。玄輝は……寝ている。

「ここにいるあいだは四獣たちが溺れるということはないよ。ここは僕が作った箱庭のようなものだからネ、安心してくれヨ？」

「そ、そうなんですか」

梓はワダツミの前に膝をついた。

「なーにぃ、もっと楽にしていいんだヨ？」

「は、はあ……ありがとうございます」

だが、性格的に「はいそうですか」と膝を崩すことができないのが、梓だ。そしてワダツミの語尾が疑問符のようにしり上がりになるのにイラッとする。

「四獣の卵が孵ったという話は聞いていたんだよ。先日のお披露目の時には僕は参加できなくってね、残念だったヨ？」

え？　つまり四神子を見たかったってこと？

梓があきれた顔をしたせいか、ワダツミは大げさに手を振った。

「違う違う、顔が見たかったっていう単純な話じゃないよ。それに今回は実は人間のキミにきてほしかったンだからネ？」

「俺に、ですか？」

「そ。実はずーっと機会を伺っていたンだ。そうしたらたまたま水族館にキミたちが出かけてくれたじゃない？　これはもう千載一遇（せんざいいちぐう）のチャンスだと思って。水族館の水槽とうちの庭をちょっとつないだンだ」

「つないだ？」

「そ、海水さえあれば、どことでもつなげられるからね、すごいでショ？」

　つまり海の「どこでもドア」。

「それで玄武（げんぶ）にちょっと中にはいってもらうように頼んだンだ」

「え、じゃああの亀……」

「そうそう、あれも僕のお使い。まあ、あの子は何度か人間をお迎えにいってるから慣れたもんだけどネ？」

「そ、そうなんですか」

「ウン。前に迎えにいった人間は、送り届けたあとすぐに老衰（ろうすい）で死んじゃったケド」

　それって浦島（うらしま）……いやいやいや。

「それで、俺になんのご用でしょうか」

　梓は膝に手を置き、ワダツミをまっすぐに見た。海の神が呼び出すからには、なにか大事に違いない。

「うん、実はネー、海神に代々伝わる潮盈珠（しおみつたま）と潮乾珠（しおふるたま）っていうのがあるんだけど、そのひとつをちょっと転がしてしまってね。それが僕たちじゃ手の届かないところにいってしまったんで、それを取りにいってほしいンだケド？」

「……ものすごく簡単におっしゃいましたけど、神様の手が届かないところに、人間の俺の手が届きますか⁉」

「届く届く。っていうか、人間じゃないと届かないんだヨ、逆に」

「逆に？」

「そう。僕はこの日(ひ)ノ本(もと)の海の神だから、異国の領海には手が出せないンだ、アンダスタン？」

梓と四人の子供たち、それにワダツミは大きな泡に包まれ、海の底へ降りていった。梓には同じ海に見えるが、ここはさっきとは別な海域らしい。

「ほら、見えるだろ、アレ」

ワダツミが指さしたのは海底だ。砂の上になにか黒いものが転々と落ちている。

「あれは異国の人間が海に落としたものなンだ。この海の上の島はもともと日ノ本の島だったんだけど、ここ最近、別な国が自分のものだと言い出してネ。ニュースにもなってたと思うけど」

「ああ、はい……。チュウ――――」

「おおっとその先はいっちゃいけないヨ？　名前を言っただけで感知されてしまう」

「感知って」

「アレだよ」

　ワダツミは砂の中に半分埋まっている黒いものを指さした。

「その人間たちは島の上には軍隊を駐留させ、島の下、つまり海底にもああやって自分たちの縄張りを誇示するものをまき散らすんだ」

「ただのゴミじゃないんですか。不法廃棄物でしょう」

「それが、なんらかの呪術的なものだったり？」

　ワダツミの陽気な顔がしかめられた。

「おかげで僕らには手が出せない。向こうの神様の領分に手を出すことになるからね。ところが潮盈珠がその領海内に転がっていってしまったわけだよ」

「なんでそんなことに」

「ビーチバレー用のボールが足りなくて？」

「……」

「……」

「あの、」

「いや！　言いたいことはわかるっ！　わかりすぎるほどわかるッ！　だから僕もタカマガハラには黙って君たちを連れてきたんだし、すごく反省もしている！」

ワダツミはぱんっと手をあわせた。

「とにかくあの珠が向こうにあると、日本の海流に影響が出てしまうんだ。最近ブリがとれないのも、海老が少ないのもそのせいだったり？」

「大変じゃないですか！」

ブリに海老。北陸の人間にとってはどちらも切っても切り離せない。

「わかりました！　やりますよ。ブリが食べられなくなったら困ります」

とはいえ天然ものは地元の人間にも手がでない高級魚だが。

「あの黒いものの向こうにその珠があるんですね。どんな形してるんですか」

「うん、まあ……丸い？」

「丸いんでしょうね、珠だから」

「白かったり？」

「白ですか」

「青かったり？」

「……ふざけてるんですか」

「ふざけてないよ！　色は変わるからさ！　ね？　海の色だっていろいろ変わるでしょ？」

「わかりました。とにかく丸いものを探せばいいんですね？　大きさは――ビーチバレーのボールくらい、ですね」

「いやあ……どうかなあ……？」

　ワダツミの言葉に梓が目をむく。

「いや、その……大きさも変わるんだ、でも最後に見たのはビーチバレー用のボールだったから、それより大きいってことはないと思うよ？」

「……わかりました」

　やるせない脱力感に襲われながら、梓は答えた。

「それで、どうやって取りにいけばいいんですか？　この泡、使えるんですか？」

「いや、向こうへいくときは四獣の力を借りる。ほら、水族館でやったみたいにね」

「外国の結界を超えていいんですか？」

「結界にはいれないのは僕らだけだから、人間の君なら超えられる。四獣の力は君の周りに空気の壁を作るのに必要なんだ」

「……子供たちに危険が及ぶことはないですか？」

「それは大丈夫だよ。そのゴミを超えて珠をとってくるだけだから」

「呪術的なものっておっしゃいましたよね」

「おまじないみたいなものだよ。気休め程度のもの？　でもそんなものでも向こうの神様の力が宿っているから、僕じゃだめなんだ」

梓は泡の中の子供たちの顔を見た。全員が心配そうな顔をしている。

「大丈夫だよ、ちょっと向こうへ行って捜し物をするだけだから。さっきみたいに僕の周りに空気の結界をつくってくれる？」

梓がそう言うと、ぽうっと全身に光が灯る。子供たちが力を発動させたようだ。

「これでいいですか？」

「うん。大丈夫だよ」

ワダツミは梓の全身を眺めて言った。

「それで泡を出ることができる。やってみて」

四

言われるまま泡に手を当てるとするりと抜けた。水の中に突き出た手には水温も感じない。

「じゃあ、行ってくるね。ワダツミさま、子供たちをちゃんと見ていてくださいね」

梓が念を押すと、ワダツミは「はーい」と手を上げた。軽い、軽すぎる。クラゲ並だ。

「……！」

思い切って全身を泡から出す。一瞬息を止めたが、呼吸に支障はないようだった。

砂底を蹴って、ふわりと海中に泳ぎだす。遠くに魚群は見えるが、このあたりには影もない。なんとなく、周りより薄暗い気もする。

黒い物体に近づく。よくみると何かの部品のようだ。エンジンとか、バッテリーとかの機械。不要になったものを廃棄したように見える。

（やっぱり不法投棄だ）

おそるおそるその上に手を伸ばしてみるが、別になんの抵抗もない。表面にはマジックかなにかで漢字のような、象形文字のようなものが書きつけられていた。これがおまじないというものかもしれない。

梓は思い切って廃棄物を超えた。

（こんなゴミを捨てて……日本の海を汚すなよ）

梓はブリのことを思った。ふっくらした身、奥行きのある旨(うま)み、焼いて醤油をかけて食べるのが一番うまい。ここしばらく食べてないなあ。あれがとれなくなるなんて絶対に許せない。

（明日はブリにしようかな。養殖ものしか手に入らないだろうけど。ブリ、ブリ。ひさし

ブリだなあ……なんちゃって）

しばらく進むとなにか光が見えた。反射ではなく、それ自体が光っている。

（あれか）

光を目指して進むと、それは砂底の中にあった。埋まってしまったのだろうか。

梓は砂底に膝をつけ、両手で砂をかきわけた。

（あった！）

ビーチ用ではなく、普通のバレーボールサイズの珠。白から青へ、そして碧へと色が脈打つように変わる。

両手で持って目の前にかざすと、辺りの暗さが少し晴れた。

（これでブリが食える……！）

完全に目的が違ってきている。

梓はそれを大事に胸に抱えると、子供たちのいる方へ向かって泳ぎだした。

（梓！）

頭の中に白花の念話が響いた。

（早ク！　早ク戻ッテキテ！）

（うん、今戻るよ、潮盈珠、見つかったからね）

梓はそう答えたが、白花の念は必死な調子で呼びかけてくる。

（早ク！　早ク！）

（どうしたんだ、白花……）

廃棄物の落ちている辺りまで戻る。子供たちのいる場所はもう一泳ぎだ。

そのとき。

それら廃棄物から、なにか黒いものがゆらりと立ち上った。

（えっ？）

最初、それは油かなにかだと思った。機械にしみこんでいた油が水の中に溶けだしたのだと。

だが、あちこちに落ちているゴミから立ち上った黒いものは、厚みを持ち、ゆらゆらと揺れながら、梓の方へやってこようとしている。

（や、やばいんじゃないの、これ）

なにがおまじないだ。きっちり呪われているじゃないか。こんなのどうやってかわせばいいんだ。

梓は動きを止め、周りを見回した。黒いもののいない場所をすり抜けようとしたが、右へ動くと黒いものも右へ、左へ動くとやはりついてくる。

（梓クン、聞こえる？）

ワダツミの声が頭の中で響く。子供たちと同じ、念話だ。

（聞こえます）

梓は胸の中で答えた。

（ごめん、これ、対人間用の呪術だわ）

（そうみたいですね）

（ゴミはどんなものだった？）

（機械のスクラップみたいなものに文字が書いてありました）

（文字か。だとすると符呪（ふじゅ）、というものかもしれない）

（そうなんですか、それでどうすればいいですか）

（わからない）

ノープランかよ！

つっこむとすぐにごめんごめん、と謝りがくる。謝ってもらうより、どうにか助けてもらいたいものなのだが。

前にばかり気を取られていたら、気がつくとすぐ横に黒いものが来ている。梓はあわてて後ろに逃げた。

（やばい、囲まれている）

黒いものはゆっくりとだが、着実に輪をせばめてきている。

（上に逃げるしかない）

梓は上を見上げた。どのくらい深いのかわからないが、上には黒いものはいないようだ。

（ワダツミさま、俺は上に行きます）

（わかった、上の方に亀を待機させておく。そこまでたどり着いたら、あとはスピードでぶっちぎろう）

（はい！）

梓は砂底を蹴って上へと昇った。足を必死にばたつかせ、片手で水をかく。もう片方の手は潮盈珠を抱えているため使えない。

下をみると黒いものもすうっと、伸び上がってきていた。

（やば！　上昇のほうが早いんじゃないか？）

後悔したが、遅かった。黒いものはみるみる梓の目線と同じ高さに追いついてきた。その表面がせわしく波うち、でこぼこを作る。見ているうちに人の顔のようになった。その顔は――――。

（俺？）

真っ黒な自分が四方八方を取り囲んでいる。その顔がニタリと笑った。

（冗談じゃない！　俺はそんな下品な顔したこともないぞ）

黒い手が伸ばされた。腕を振って払うと一瞬、水に溶けるように散るが、すぐもとに戻る。

（寄るな！）

ガクン、と足を引かれた。何体かの黒いものが梓の足にからみついている。ペタリ、と背中にも張りつかれた。潮盈珠を抱える腕にも、振り回す腕にも黒い自分がからまってくる。

（離せっ）

動きがままならない海中で、梓は必死に体をよじり、黒いものをはがそうとした。

（梓！）

（あじゅさ！）

子供たちの声が聞こえた。

向こうの方からワダツミと子供たちを載せた泡が猛スピードで突っ込んでくる。

（な、なにする気？　止まりなさい！）

梓は仰天し、彼らを止めようと手を振った。

（あじゅさー！）

子供たちが手を振り返してくる。歓声が頭に響いた。

（いや、違う！　今のは挨拶じゃなくて！　止まって！　止まりなさい！）

梓の制止もむなしく、子供たちを乗せた泡はそのまままっすぐ梓に――絡みつく黒いものに突っ込んだ。黒いものは四方に散り、梓も勢いで放り出される。

（あじゅさ！）

どこまでも飛ばされるかと思ったが、その体は弾力のあるもので受け止められた。全身を押し包む柔らかいものを振り仰ぐと、巨大な吸盤が見えた。

（うわっ）

タコだ。巨大なタコが八本の足を広げ、その真ん中で梓の体をキャッチしてくれたのだ。

（あ、ありがとう）

大タコは梓の体を絡め捕ったまま、ゆっくりと下降した。下の方に子供たちを包んだ泡があった。

（梓、オカエリー）

大タコが梓の体を泡の中に押し込む。梓は泡の中でへなへなと膝をついた。

「だいじょぶ？」

朱陽が梓の頭を撫でてくれた。

「うん、大丈夫だよ」

「あじゅさー、くろいのやっつけたー」

蒼矢が自慢げに言う。

「あ、ああ、そうだね。えらかったね」

子供たちの頭をひとつずつ撫でてから、梓はワダツミに珠を差し出した。

「これでよろしかったですか？」

「ああ、これこれ！　ほんっとにありがとう、梓くん」

「おまじないどころじゃなかったですね」

「いやあ……」

「子供たちが突っ込むのをどうして止めてくれなかったんですか、あの黒いものが散ったからよかったけど、そうじゃなかったら子供たちの方が危険だったかもしれないんですよ！」

　梓が強い調子で言うと、ワダツミはしゅん、とうなだれた。

「ごめん……。僕も止めたんだけど、言うことを聞いてくれなくて」

「あじゅさ、たちゅけるの！」

　蒼矢が真剣な顔で言った。

「あじゅさはだめなの！　ひとりでいっちゃだめ！」

「あじゅさはあえびといっしょにいるのよ」

　朱陽も梓の体にすがりついた。

「あえびと、そーやと、しらなーと、げんきと、あじゅさはいっしょなのよ」

（梓、無事ニ戻ッテヨカッタ）

　白花もぎゅっと梓の首にしがみつく。

「みんな……」

　鼻の奥がつんと痛む。梓は四人の子供を両手で抱きしめた。

「ありがとう。でも無茶はだめだ。相手の力がわからないときに突っ込んでいくなんて、危険すぎる」

　ぎゅっと服の裾をひっぱられた。顔をあげると玄輝だ。梓の背後を指さしている。

「え？」

　振り向くと、黒いものがまた集まり始めていた。こんどはどんどん合体し、大きくなっていく。

「しつこいっ、また来る気なのか」

　ひとかたまりとなった黒いものは、四方八方へ広がり、まるで一枚の巨大な手のようになって、泡を捕らえようとしている。

　と、玄輝がするっと泡を抜け出た。

「玄輝!?」

　くるり、と前回りに回転すると、玄輝が亀の姿になる。いや、尾には長い蛇の頭がついているから玄武だ。

「玄輝！　戻りなさい！」

　泡の壁に手を突いて叫んだが、玄輝はそのまま黒い手に向かってゆく。黒い手は玄輝をつかまえようと指を折った。小さな玄輝がその中に包まれる。

「玄輝！」

丸まった黒い手は、しばらく中の感触を確かめるかのように表面を脈打たせていた。だが、その動きが突然止まったかと思うと、表面が白く変化していった。

「あ、あれって……」

氷だ。黒い手が中心から凍りついてゆく。

巨大な氷の固まりになったその中から、玄輝がすうっと抜け出してくる。

「ワダツミさま、あの氷、北か南の極点へ押し流すことできますか？」

梓はワダツミを振り向いて言った。

「あ、ああ、できる、かな？」

ワダツミがさっと手を振ると、氷はゆっくりと上昇を始めた。

「南極に流して永久に溶けないように、とか？」

玄輝が玄武のままで泡まで帰ってきた。頭を泡につっこむやいなや、もとの子供の姿に戻る。

「玄輝！」

梓は玄輝を抱きしめた。

「よかった！　心配したよ！」

玄輝はきょとんとした顔で梓を見上げた。

「あんな大きいのに向かっていくなんて……」

「……」

玄輝はにっと笑って親指を立てる。大人びたそのしぐさに、梓は泣き笑いの顔で頭を撫でてやるしかなかった。

「ワダツミさま、大丈夫でしょうか。外国の呪術にこの子たちが干渉して」

「大丈夫だよ。あの符呪は人に対して発動したのだから、たぶん、人が四獣の力を借りて対抗したという扱いになる？　神自身が領域を超えたわけじゃない」

「でも本当ならここは日本の領海なんですよね」

「まあ、海に線を引く行為自体間違っていることなんだけどね……。でもそのおかげで僕の存在もあることだし、悩ましい問題かも？」

もう氷の姿も見えない。寂しかったこの海域にも魚たちの姿が増えてきた。

「どうもありがとう、梓クン、神子たち」

「これで終わりなら早く俺たちを水族館に戻してください。まだ全部見てないんですから」

「うん、わかった。今すぐに……」

梓たちを乗せた泡はもとの白い砂浜に戻った。

終

泡が海面に出たとたん、ワダツミは顔色を変えた。砂浜の上にずらりと人が並んでいたからだ。

「や、やばい……」

「え？」

砂の上に立つ人の中に見知った顔があった。

「あれ？　翡翠（ひすい）さんに紅玉（こうぎょく）さん……え？　アマテラスさま⁉」

人々の中央でアマテラスが手を振っている。今日は宝塚のような男装でも、古典的な神衣でもない。真っ赤なビキニに白く透けたキャミソールを着ていた。

アマテラスの背後には、SP（エスピー）を思わせる、サングラスに黒スーツの男たちが立っている。

「神子たち！」

翡翠が波の上を駆け寄ってきた。

「無事だったか？　何も事故はなかったか？」

だが伸ばした腕は泡に弾かれむなしく滑る。

「綿津見大神さま！　神子たちを解放してください！」

翡翠が噛みつきそうな勢いで怒鳴った。ワダツミが泡を消すと、「よかったああ」と子供たちを抱きしめる。

「どうしたんですか、翡翠さん。アマテラスさまもいらっしゃるなんて……」

「なにを呑気なことを言っている、羽鳥梓！」

翡翠はきっと梓をにらんだ。

「急に神子たちの気配が消えて、タカマガハラは大騒ぎだったんだぞ。必死で探してここにたどり着いたのだ」

「ええっ？」

そういえば、最初にタカマガハラに内緒で俺たちを連れてきたと言っていたな、と梓は思い出した。潮盈珠をなくした経緯を知られたくなかったということだが。

アマテラスがザブザブと波の中を歩いてきた。ワダツミは目を泳がせて逃げたそうにしている。

「ワダツミ。どういうことかあとでじっくり聞かせてもらうぞ」

「ア、アマテラス……あの、別に悪気があったわけじゃなくて……」

「当たり前だ。悪気があったらおまえ、百回は死んでるぞ」

アマテラスはワダツミの耳をひっぱった。

「四獣の力を自分の勝手な都合で使うな」

「わ、わるかったよ」

アマテラスは梓の方を向いて、赤い唇でにっこり笑った。

「久しいな、羽鳥梓。息災だったか」

「はい。アマテラスさまもお元気そうで」

「うむ。私は元気だ。今回はワダツミが迷惑をかけたようだな」

「あ、はい」

梓の返答にワダツミが身をよじる。

「ええーっ、そこはそんなことありません、じゃないの？　梓クン！」

「子供たちを危険な目にあわせたんです。それは事実ですから」

アマテラスはワダツミの反対側の耳をひっぱった。

「やっぱりおまえ、二百回くらい死んでおくか？」

「増えてる増えてる！」

アマテラスが合図をすると、黒スーツの男たちがワダツミの周りを取り囲んだ。そのまま岸の方へ連行していく。

「ア、アマテラス！　話を、話を聞いてくれー！」

「ああ、天の岩戸でじっくり聞いてやるぞ」

「岩戸はいやーっ！」

ワダツミの悲鳴が響きながら消えていった。アマテラスは梓に片目をつぶってみせる。

「あやつは閉所恐怖症なのじゃ」

「はあ……」

「それはさておき」

アマテラスは腰に手をあてて、ビキニの胸を見せつけるように突き出した。

「羽鳥梓も神子たちも無事でよかった。どうじゃ？　せっかく会えたのじゃ。ここで一緒にリゾートしていかぬか？」

「え、でも俺たち水族館に……」

「この水着な、一〇年くらい前に手に入れたのだが、なかなか着る機会がなかったのじゃ。どうじゃ？　当時は最新だったのだが、今では少し古くさいかのう？」

「い、いいえ。とてもお似合いで素敵です」

「ふふん」

アマテラスはばしゃん、と波の中に飛び込んだ。

「神子たち、一緒に泳ぐぞ、ついてこい」

子供たちは顔を輝かせ、次々に海の中に飛び込む。それを止めようとした梓の手を、紅玉がそっと押さえた。

「勘弁してやってや、梓ちゃん。アマテラスさまもホンマは子供たちに会いたかったんや」

「公務をさぼりたかっただけ、という話もあるが」

翡翠がはしゃいでいる子供たちに視線を向けながら言う。

「気配が消えたってさっき言ってましたけど、もしかしてタカマガハラではいつも俺たちを見張っているんですか?」

梓が聞くと、紅玉は大げさに手を振った。

「そんなんやない。神の気配っていうのはわかるもんなんや。神が消滅したり増えたりは日常茶飯事や。だけど、四獣は自然消滅せえへんからちょっと焦ったんや。最後に感知したのがサンシャインの水族館やったんで、その水からここまで辿ってきたんや」

「へえ」

「翡翠が大騒ぎしてなー、大変やったんや」

「うるさい」

翡翠は一言言うと、スーツのまま海の中に沈んで行った。透明な波の下で、子供たちの隣を泳ぐ姿が見える。

「水族館には行けなさそうですね」

ため息をついて言うと、

「まあ、これから先いつでもいけるよ。それよりこんなリゾート地にくることのほうが滅多にないんや、遊んでいけば？」と紅玉が慰めるように言った。

「そうですね」

梓は苦笑して砂浜に向かった。ワダツミがつくった箱庭である海は、子供たちが溺れる心配はないと言っていたから安心だ。白い渚に腰を下ろすと、波の間から子供たちが手を振って名前を呼ぶ。

「あじゅさー」

「あーじゅさー」

（梓ー）

「……！」

梓は手を振りかえした。

暖かな太陽の下、はしゃぐ子供たちの声。思いもかけぬ冒険になってしまったけれど、終わりよければすべてよし、か。

ワダツミのその後が少しだけ気になるが、とりあえず今はこの日差しの下でのんびりしよう。

「あじゅさー」

笑い声が響く。波音に負けない、子供たちの笑い声が。

第五話

、お姫さまを守る

序

「とべーちんくのちゅばしゃー」

「くだけーあおきつめえー」

（駆ケロ、白キ牙ヨー）

「……っ、……っ」

日曜日の朝、おなじみとなった特撮番組「四獣戦隊オーガミオー」の主題歌が響きわたる。

最終回に向かって盛り上がるオーガミオーとスサノオキングの戦いは、熾烈を極めていた。興奮して変身してしまう四人の神子たちのために、梓は、番組が始まる前にちゃぶ台を片づけることにしていた。

「変身はこのお部屋の中でだけだよ」

じゅうじゅう言い聞かせたために、八畳の居間の中だけで飛び回る。それでも前のアパートより広いので子供たちは大喜びだ。

「てんじっ！　はいあーばーど！」

前は「はいあーど」としか言えなかった朱陽も「ばーど」と言えるようになった。

「てんじっ！　ぶるーどあごん！」

惜しい！　蒼矢はどうしてもラ行が苦手なようだ。

（ちぇんじ！　西ノ守護者、白銀の精霊、ほわいとたいがー！）

念話を使う白花は正確な長い名乗りもなんなくこなす。

「……っ！」

玄輝は口をきかないが、そのポーズは誰よりも正確だ。

オーガミロボが巨大化した怪人と戦っている間中、四体の神獣たちは居間の中でどすんばたんと大はしゃぎする。タカマガハラではメカになり、ロボットにまで変化したが、それは向こうにいた子供たちの念の力の影響だった。

現世では、四獣の姿までにしかなれない。

それでも子供たちは変身自体が嬉しいらしく、部屋の中を飛び回る。

飛び交う子供たちと一緒にいると怪我をしかねないので、梓は彼らが変身したら庭に出るようにしている。不思議なことに四獣の姿でぶつかっても彼ら自身は痛くはないようだ。

しかし、梓が怪我をすると子供たちはたちまちしゅんと萎縮してしまう。

子供たちに悲しげな顔をさせるのは梓にとっても本意ではない。

梓は縁側の下の沓脱石(くつぬぎいし)に置いてあるサンダルをつっかけ、庭に降りた。

はあ、と息を吐くと、まだ白く見える。

二月も半ばをすぎるとかなり寒さは緩んではくるが、午前中はまだ気温は低い。

庭の中央にある背の高い木のそばにより、乾いた幹に手を当てる。以前、翡翠がこの木は桜だと言っていた。今はこんな寒々しい姿だが、春になればたくさんの花を咲かせてくれるだろうと。

「花が咲いたらこの木の下でお花見ができるなあ」

そのためには毛虫対策をしなければいけないと言われたが、それはいつやればいいんだろう。

あとでネットで調べてみるか。

大学生の頃、友達数人と吉祥寺の井の頭公園に花見に行った。池に沿ってぐるりと咲いている桜は美しく壮観だった。東京の桜はほぼソメイヨシノだと言われているが、この桜もそうだろうか？

しかし、桜は不思議だといつも思う。花が咲く前はまったくそんな気配は見せないのに、気がつけば突然花が咲いている。

「子供たちに見せたいなあ」

日本中がピンクに染まる日々を。柔らかな花びらが雪のように降りしきる光景を。

ひらり。

梓の目の前に白いものが落ちてきた。

（え？　雪？）

こんなに天気がいいのに？

思わず空を振り仰ぐと、確かに白く薄いものがちらちらと降ってきている。それは柔らかく、ひろげた梓の手のひらに落ちた。

（雪、じゃない、これ、桜……？）

ぱっと背後にある桜の木を振りかえるが、もちろん花のひとつもついていない。

もう一度空を見る。確かに花びらは空から舞い落ちているようだ。

（あ、あれは――――）

花びらにまじってなにか黒い影が。

それはどんどん大きくなる。つまり落ちてきている。

決して早い速度ではなく、ゆっくりと、重力に逆らうようにして。

（あれって……！）

少女だ。ふわふわしたひれをまとった白い神衣の。

「オヤカタ、空から女の子が！」

思わずジブリの名作アニメのセリフを叫んでしまう梓だった。

一

その少女は、花びらが舞い落ちる速度と同じゆっくりとした動きで、梓のいる庭にまで降りてきた。

梓は腕を伸ばした。受け止めるしかないだろう。女の子が落ちてきたら男としてやることはひとつだ。

腕に彼女の体が触れた。そのままじんわりと重みを感じる。しかし、あまり重くない。

「うわあ……」

女の子ってこんなに軽いのか？

羽鳥（はのとり）梓、悲しいことに、二〇数年生きてきて、女性の体重を感じる僥倖（ぎょうこう）に遭遇したことはない。だからここで間違った知識を得ても仕方がない。

「それにすごい美人……」

アマテラスも、タカマガハラで会った鬼子母神（きしもじん）も美人ではあったが、どちらもちょっと濃いタイプだ。それに年も上だ……。

だが、今、腕の中にいる少女は、梓より若く優しげな面差しをしていた。羽二重餅のように白くなめらかな頬をして、ピンクの唇はぽっちりとして、清楚でかわいらしく、いつまでも見ていたいような、このまま抱きしめたいような。

「あー！　あじゅさ、おひめさま、だっこしてゆー！」

突然背後から朱陽の声が響いた。焦って振り向くと、縁側に四人の子供が並んでこちらを見ている。どうやらオーガミオーは終わったようだ。

「おひめさま、さらってきたのー？」

蒼矢が物騒なことを言い出した。

「ち、ちがう、ちがうっ！　空から落ちてきたんだ！」

梓は少女を抱いて縁側にあがった。

「この人を寝かせるから、お布団広げてくれる？」

梓が言うと、子供たちは先を争って居間の隣の部屋に飛び込んだ。梓と四人の子供たちは、そこに布団を引いてみんなで寝ている。

ばたんばたんとほこりをまき散らして敷かれた布団の上に、梓はそっと少女を寝かせた。

黒いつややかな髪がシーツの上に広がる。

「これって……やっぱり神さま関係だろうなあ……」

衣装がタカマガハラ標準装備の着物だ。今もふわふわ動いているひれが、重力を制限しながら降りてきたのだろう。

「どこかの神さまなんだろうけど……俺にはわからないしな」

「あじゅさ、あじゅさ」

子供たちが梓の周りに集まる。

「きりぇーなのねー」

朱陽が感心したように言う。

「ん？　朱陽、わかるの？」

「わかりゅ！　おはなみたい！」

「そうだねー」

「あじゅさのおよめちゃん？」

蒼矢がまたとんでもないことを言う。

「違うよ！　だから空から落ちてきたの！」

「おそらからー」

（イイ匂イ、スル）

白花がすう、と息を吸い込んで言った。そういえば、さっきから甘いようなさわやかな、香りがする。この人だろうか。

玄輝がひらひらしているひれをちょいちょいと指先で触っていた。

「とにかく、俺じゃどうしようもないな。誰か助けを呼ばないと……」

梓は立ち上がると、居間に置いた小さな棚の上からマッチを取り上げた。

このマッチは紅玉がくれたもので、簡単に彼を呼び出すことができる。翡翠の呼び出し方は水を使って模様を描く方法だ。

スーパーの事件のあと、示玖真から呼び出し用の笛をもらったと言うと、翡翠が

「私たちがいるのにそんなものは必要ない！　どうしてもというなら私たちを呼び出せ！」

と怒られた。それでマッチと呼び出し方法を授けてもらったのだが。

（二人のうちどちらを呼び出そうか……。翡翠さんを呼び出すとまた叱られそうな気がするなあ……紅玉さんにしておこうか……）

縁側に立ってマッチを擦ると、小さな青い火が灯った。と、それがゴウッと人間大の大きさにふくらむ。

「うわっち！」

思わずマッチの軸を離すと、その炎が見る間に人間の姿になった。

「やあ、梓ちゃん」

紅玉が、肩や腕に残る火をパタパタと消しながら現れた。いつものようにダウンジャケットにジーンズのラフな格好。火のついていた袖には焦げ目もない。

（こ、これは……人目のある場所じゃ紅玉さんを呼び出すのは無理だな）

梓は曖昧に笑いながらうなずいた。

「あー、こーちゃーん」

子供たちが目ざとく紅玉を見つけ、どすんどすんと廊下で跳ねる。

「よう、チビちゃんたち。元気かー」

「げんきー」

「もーかりまっかー」

(ボチボチデンナー)

「……紅玉さん、そういう挨拶は教えないでください」

梓がそう言うと紅玉はぺろっと舌を出した。

「すまんすまん。で？　なにかあったんか？」

「ええ、実は、空から女の人が降ってきて」

「それ、なんてジブリ？」

うん、そうだよね。

縁側から寝室に入った紅玉は、布団に寝かされている少女を見て、声を上げた。

「神阿多都比売様じゃないですか！」

「カムアタツ……？」

「一般には木花之佐久夜毘売（コノハナサクヤヒメ）と呼ばれとる。それなら知っとるか？」

「ええ、もちろん。有名じゃないですか。たしかアマテラス様の孫にあたるニニギノミコト様の奥さんになった人ですよね」

「へえ、それまで知ってんのか」

梓は腰に手を当てて反り返った。

「これでも勉強しましたから。日本神話は一通り読みましたよ。ニニギノミコトがコノハナサクヤヒメと結婚しようとしたとき、父親のオオヤマツミが一緒によこした姉のイワナガヒメを返してしまった。だからミコトの子孫は花のように繁栄するけど、岩のように長く生きることができなくなったんですよね」

「そう、そや。コノハナサクヤヒメ様はこの通りの美人さんやけど、姉上は〝そうではないお方（かた）〟やったんでな」

紅玉はサクヤヒメのそばにひざをついた。

「でもこの方は分祠（ぶんし）のサクヤヒメ様のようやな」

「分祠？　つまり本社から分けられた神様ということですか？」

「そや」

紅玉は畳に手をついて顔を近づけた。

「コノハナサクヤヒメ様、サクヤヒメ様……聞こえますか？　大丈夫ですか？」

「……」

サクヤヒメはかすかに顔を揺らした。長い睫毛が震え、目が開けられる。そのとたん、ぽぽぽーん！

花が咲いた。

少女漫画でよくあるように、顔の周りにぶわっと花が開いたのだ。しかも一種類ではなく、いろいろな花。

「サクヤヒメ様、お目覚めですか」

サクヤヒメの視線はぼんやりと左右をさまよった。その目が紅玉の隣にいた梓をとらえたと思うと、ぱちんっと見開かれた。

「ユウタ！」

花が爆発した。

サクヤヒメの全身から、八畳の寝室いっぱいにさまざまな花が飛び散ったのだ。

「ユウタ！　ユウタ！」

サクヤヒメは梓にしがみつき、名を呼んだ。その間にもポロポロと花が咲いては落ちてゆく。

「ユウタ！　会いたかったですわ！」

「ちょ、ちょっと待ってください、人違いですよ、俺は羽鳥梓って……」

「……、え？」

しがみついていたサクヤヒメはぱっと体を離した。

「だれーっ！」

「あ、あの、俺は」

「ユ、ユウタじゃないですわ！」

とたんにボタボタと花がしおれて落ちてしまう。

「そんな……ユウタの気配を追ってきたのに」

サクヤヒメは、がっくりと両手を布団の上についてうなだれた。

「あの、サクヤヒメ様。なぜここに？　ユウタの気配というのは？」

紅玉が話を聞こうとしたが、サクヤヒメは黙ったまま答えない。その彼の横から、朱陽がひょいと顔を出し、ヒメの膝に手をかけた。

「おひめーさまー」

サクヤヒメが目を開けた。膝の上から見上げている朱陽を認めたのか、艶やかな髪に小さな花が開く。

「あら……」

「おひめさまーきれーね」

朱陽をじっと見つめたサクヤヒメが驚きの顔になる。

「朱雀(すざく)？」

はっと周りを見回し、他の三人の子供をみると、はらはらと花びらが舞い散った。

「白虎(びゃっこ)、青龍(せいりゅう)、玄武(げんぶ)……。まあ、それではここは四獣の子を育てているという、噂の場所なのですね」

「そうですよ、サクヤヒメ様」

紅玉がにこやかに答える。

「おまえは……火の精ね」

「はい、紅玉、言います」

サクヤヒメは梓に顔を向けた。梓はどぎまぎしながら挨拶した。

「は、はじめまして。羽鳥梓です」

「……人間ね。だからユウタと間違えたのですわ」

「ユウタって？」

「それは……」

サクヤヒメは顔を伏せた。しかしすぐに顔をあげると、何かを探すようにきょろきょろと視線を飛ばす。

「やっぱり、間違いないのですわ……ここにいるのね」

「え？　だ、誰がですか」

サクヤヒメはしばらく考えるようにうつむいていた。

「――羽鳥梓」

サクヤヒメは顔をあげ、梓を見た。濡れたように輝く大きな瞳で射抜かれ、梓の胸がきゅうっと縮み上がる。

「な、なんでしょう」

「せんに、タカマガハラで……事件があったでしょう？　外道が暴れたという……」

「は、はい」

「それを四獣の子たちと人間が退治した……と聞いています。あなたのことですね」

「ええ、まあ……俺はなにもしてませんが」

サクヤヒメは自分の胸に手を当てた。

「その外道を……魔縁をタカマガハラに呼びこんだのは、わたくしなのですわ」

「ええっ！」

二

「この屋敷に降りたのも……そこに四獣と羽鳥梓がいたのもなにかの引き合わせですわ……わたくしはあなたにお願いしたいことがあります。そのために、すべてをお話しておきたいのです。聞いていただけますか？」

サクヤヒメは布団の上にきちんと正座した。体の周りをぐるりと花が取り囲んでいる。その花は、開き、しおれ、消え、そしてまた現れる。

「そ、その前に、お茶でもいかがですか？」

梓はそう言うと立ち上がって台所に向かった。あとから紅玉もついてきた。

「なんかなー、どうにも面倒なことになりそうやなー」

「紅玉さん。面倒なことなんて、サクヤヒメ様に失礼ですよ」

「お、梓ちゃんはサクヤヒメ様の味方やな。やっぱり人の子はみんなあの手の美人に弱いんやな」

紅玉がにやにやする。梓は顔を赤くしながら紅茶の用意を始めた。

「そ、そりゃあ……男なら、あんなきれいな人に頼まれたら助けたいと思うのは当たり前ですよ」

「それにしても俺一人じゃちょっと荷が勝ちすぎてるな。翡翠も呼んでくれる？」

「いいですよ。翡翠さんの呼び出し方も試したいと思っていたんです」

梓は流しの蛇口をひねり、コップに水を入れた。指をその水で濡らすと、床の上にぐるりと円を描く。それに三本の線を描きいれた。

すると描かれた水が粒となって浮き上がった。粒が激しく交差し、つながり、また分かれ、細い輪郭を形成すると、そこからにじみ出すように翡翠の姿が現れた。

「わー、なんかＣＧみたいだなー」

「なんだ、羽鳥梓。神子たちになにかあったとしたら許さんぞ」

いつものようにぴしっとした隙のないスーツ姿。眼鏡を人指し指で押し上げて、冷たいまなざしを梓に向ける。

「こんにちは、翡翠さん」

なんだかんだで翡翠のこうした言い方にも慣れてきた。

「よう、翡翠」

「む、紅玉。おまえもいるのか」

翡翠がきっと梓を見る。

「私たち二人を呼び出したということは大事か？」

「そや、大事や」

紅玉が親指で居間の方を指出す。

「実は今、コノハナサクヤヒメ様が来ておられる」

「はあ？」

サクヤヒメは膝の上に朱陽を乗せ、体からあふれてくる花で花冠を作っていた。蒼矢は青い花で編まれた花の首飾りをかけて、部屋の中を転げ回っている。

「はい、できましたわ」

真っ白な花で編まれた花冠をかぶせてもらって、白花は恥ずかしそうに笑った。

「あえびもできたー！」

さっきからサクヤヒメの真似をして赤い花を編んでいた朱陽が作品を見せる。どう見ても冠にはなっておらず、花びらがほとんどちぎれていた。

「こえ、げんきのよー」

朱陽はそう言って花の固まりをむりやり玄輝の頭に乗せた。玄輝はいやそうにそれをとると、人指し指と親指でつまんでちゃぶ台に置く。

「おはな、もっとでゅ？」

「でますわよ」

サクヤヒメが両手を広げると、桜の花びらが吹雪のように部屋一面を舞った。

「きゃーっ！」

朱陽と蒼矢が悲鳴をあげてその花びらを追いかける。白花と玄輝も夢中で花をキャッチしようとした。

サクヤヒメは微笑みながらその姿を見つめていた。

「……ほんとにサクヤヒメ様だ……」

細くあけた襖の隙間から覗いていた翡翠が、梓と紅玉を振り返った。

「なんでここに？」

「さあ。それがユウタとかいう人間の気配を追ってきたとおっしゃるだけでな」

「しかもそれがこないだのタカマガハラの外道と関係があるらしいんだ」

「……なんと、」

「とりあえず、お話を聞こうということになってな。すまんがお前も同席してくれ」

紅玉は襖を開けた。そのあとに、トレイを持った梓が続く。翡翠も入っていくと子供たちがわっと歓声をあげた。

「ひーちゃんもきたー！」

「ひーちゃん、こえ、おはなー」

子供たちが翡翠の長い足にまとわりつく。翡翠は整った顔をたちまちとろけさせ、朱陽や白花を抱き上げた。

「おお、神子たち、元気だったか？」

「げんきー」

（ひーちゃんモ元気？）

「ああ、元気だとも。そなたたちの顔を見るとますます元気になるぞ」

梓がちゃぶ台の上に湯飲みとお皿を並べる。

「さあ、お茶にしましょう。みんなも座って。豆大福(まめだいふく)があるよ」

「あーい」

小さなちゃぶ台はカップと菓子を並べるとそれだけでいっぱいになる。子供たちは翡翠や紅玉の膝の上に乗ったり、サクヤヒメの膝の上に乗ったり、思い思いの場所をとった。サクヤヒメは自分の膝の上に乗った蒼矢の髪を優しく撫でた。蒼矢はでれでれした顔で、ヒメの膝の上で体を揺らしている。

「このおうちは素敵ね」

「そうですか？」

「ええ、人と神と精霊がみんな仲良く暮らしている。子供たちものびのびしてて、みんないい子ですわ」

「そうでしょう、いい子です」

翡翠がわがことのように自慢げだ。

「わたくしも……ユウタとこんなささやかな幸せを得たかった……」

ぽたぽたと花がしおれながら畳の上に落ちる。サクヤヒメは蒼矢の柔らかな髪に顔を埋めた。

「聞いてください、羽鳥梓。ユウタと同じ人の子のあなた。タカマガハラで迷惑をかけたそのわけを話します」

梓は、紅玉も翡翠も思わず姿勢を正す。

「すべてはわたくしが人の子であるユウタを愛したせいなのですわ」


コノハナサクヤは今から一〇年前、新しい神社に分祠された。新米の神ではあったが、土地を愛し、人々を愛し、穏やかに時を重ねていくと思っていた。

その神社に雄太(ゆうた)という少年がやってくるようになった。

最初、雄太は五歳の子供だった。両親を亡くし、田舎の祖母の家に引き取られたのだ。

雄太はいつも神社で両親を思って泣いていた。

哀れに思ったサクヤヒメは姿を現して雄太を慰めた。

五歳の雄太は六歳になり、七歳になった。

通常、人の子は七歳をすぎると神の姿は見えなくなる。しかし、雄太は神社にくるとサクヤヒメを見つけた。

八歳、九歳、一〇歳……雄太は毎日学校から帰るとサクヤヒメの元にやってきた。

中学に入る頃になって、雄太は祖母の家を出て、都会の親戚の家へ移ることになった。

これで彼は自分を忘れるだろうとサクヤヒメは思った。少し寂しいけれど、雄太は人間だ。人間とともに成長したほうがいい……。

しかし。

夏休みのたびに雄太は祖母の家に帰省し、神社へやってきた。

一年一年、大きくたくましく成長してゆく雄太。

そして彼は決してサクヤヒメを見失わなかった。

高校を卒業する年になって、雄太はサクヤヒメに愛を告白した。すでに彼は変わることのないサクヤヒメを人間ではないと知っていた。神だという告白を受けても、それでも愛していると言った。


「まさか、……それに応えたんですか」

翡翠が青い顔で聞く。サクヤヒメはうなずいた。

「わたくしも、毎年戻ってくる雄太を、いつしか愛しておりました。もともとニニギノミコト様と恋に落ちたわたくしです。人を愛することは性（さが）のようなものですわ」

「いや、それは」

都合のいい言い訳だろう、と言いたいのを翡翠が我慢したのは、梓にもわかった。

「雄太の生（せい）はどんなに長くても一〇〇年。そのくらいならわたくしが雄太のそばにいてもいいかなーと思いましたの」

いいかなーって。

やっぱり最近分祠された神様は軽くなってるのかな、と梓は思う。

「だけど、去年の夏……雄太は戻ってきませんでした」

ぽろりとサクヤヒメの頰を涙が伝う。蒼矢がヒメを見上げて悲しそうな顔をした。

「おひめさま、ないちゃだめよー、いたいのー？　どっかいたいのー？」

「……いいえ、痛くないの。だいじょうぶよ」

サクヤヒメは蒼矢の頭を撫でる。

（ハイ）

白花が豆大福を差し出した。

（甘イノ。オイシイノヨ）

「あえびのもあげゅ」

朱陽も自分の豆大福を掴んで差し出す。サクヤヒメは二人から豆大福をもらい、にっこりした。小さな花がぽぽんとちゃぶ台の上に咲く。

「ありがとう。みんな優しいのね」

「あのねー、あじゅさにねー、いいこいいこしてもらうといいよ！」

朱陽が真剣な顔で言う。

（ダッコシテモラウノ、気持チイイノ）

ね、と少女たちに振りかえられ、梓はあわてて手を振った。

「だめだめっ、サクヤヒメ様は大人なんだから、そんなことしないの」

「えー」

（ドウシテー）

二人は梓の手を引っ張る。それにサクヤヒメが微笑んで首を振った。

「いいのよ。わたくしは、いいこいいこもだっこも……雄太にしてもらったから」

「サ、サクヤヒメ様っ」

翡翠が顔を真っ赤にする。サクヤヒメは目を伏せると、「ごめんなさい、話がそれましたわ」と小さく頭をさげた。

「雄太さんが神社に戻ってこなかったんですね？」

梓が話を促す。

「ええ……。わたくしは寂しくて悲しくて切なくて……毎日泣いておりました。そうしたら……あれがやってきたのですわ」

「あれ、とは？」

「……魔縁(まえん)です……」

サクヤヒメの鬱屈のたまった神社は神気も弱まり、邪気や外道を避けることができなかった。魔縁天狗はサクヤヒメに残酷な事実を告げた。

――雄太が交通事故に遭って死亡したと。

「驚き絶望するわたくしに魔縁はささやいたのです。自分に協力すれば雄太にもう一度会わせてくれると」

「な、なんやて？」

紅玉が身を乗り出す。

「死者を甦(よみがえ)らすことは天にとって禁忌(きんき)ですよ!?」

翡翠も卒倒しそうな勢いで叫ぶ。

「そうです、それこそが外道の法。でも、そのときのわたくしには天の使いのささやきのようにも聞こえたのです」

サクヤヒメは自分の手をぎゅっと握った。

「それで魔縁は条件を出したんですね」

紅玉が常にはない厳しい顔をしている。サクヤヒメはうなずいた。

「わたくしはタカマガハラに……魔縁を呼び込んでしまいました」

はあっと翡翠がため息をついて額に手を当てた。紅玉も首を振る。

「あの日は四獣の子が来るということでたくさんの神々が天に昇っていましたから……。魔縁も入り込み易かったのでしょう。まさか、あんな大事になるとは思っていませんでしたが……」

サクヤヒメは梓に頭をさげた。

「本当にごめんなさい。四獣の子も、人の子も、危険な目に遭わせてしまって」

「……いえ、さっきも言ったように俺は何もしてません。全部子供たちの力です。でも、確かにタカマガハラにいる子供たちには危険だったと思います」

「……」

サクヤヒメはうなだれた。もう花は出ない。

「それで、――雄太さんには会えたんですか？」

梓の言葉に紅玉も「そや」と顔をあげた。

「魔縁は外道の法を使うたんですか⁉」

サクヤヒメはうつむいたまま首を振った。

「あのあと、わたくしは神社で雄太を待っておりました。でも雄太はこない……。だから魔縁を呼んで、どうなっているのかと尋ねました。そうしたら……」

サクヤヒメはぶるぶると体を震わせた。

「魔縁は……それができないと。雄太はすでに輪廻の輪に入ってしまったと言うのです」

「輪廻の輪に入るともう会えないんですか？」

「輪からむりやり引き出すことはできます。でもそれだと雄太は六道から外れ、外道になってしまいます。わたくしは、それだけはできなかった……！」

それを聞いた翡翠と紅玉がほっとした様子で顔を見合わせる。彼らにとって輪廻の輪から外すことは一番避けたかったことのようだ、と梓は思った。

「そうですか、そこはあきらめられたんですな。なによりや」

「あ、でも、さっき雄太さんの気配を追ってきたって」

「はい」

サクヤヒメは顔をあげた。

「転生してしまったらほとんどの場合、前世の記憶はありません。雄太もわたくしと愛し合った記憶はもうないでしょう。でも魂は同じ形をしています。わたくしはせめて、雄太の魂に会いたかった。だから世界中を探し回りました」

すっくとサクヤヒメは立ち上がった。小さな花がほろほろとその肩や髪からこぼれ落ちる。

「探して探して……もう疲れ果て、気を失いかけたとき、かすかに雄太の魂の気配を感じたのです。それを追っている間にまた意識を失って……それでこちらに落ちてしまったのでしょう」

サクヤヒメは縁側に出た。冬枯れの庭を見つめる。

「ここに雄太はいます」

「ええっ！」

この寂しい庭のどこに？

三

サクヤヒメは素足のまま庭に降りた。目を閉じて、じっと耳をすます様子を見せる。

「……雄太……」

サクヤヒメはゆっくりと花のない桜の木に近づくと、その根元のあたりにしゃがんだ。サクヤヒメの全身から明るい色の花がまき散らされる。

「ああ……雄太……ここにいたのね」

「え？」

縁側から見ている梓には何もみえない。まさかサクヤヒメの恋人はダンゴムシとか蟻（あり）とかになっているのだろうか？

「こちらに来て、羽鳥梓。これです。これが雄太です」

言われて梓はサンダルをつっかけ、恐る恐るサクヤヒメに近づいた。しゃがんだサクヤヒメが指さしている地面――腰をかがめてそこを見ると――

「これ……？」

それは小さな芽だった。緑色の二枚の葉がついている。葉は楕円形で縁がぎざぎざとしている。

「これは――」

「桜の実生（みしょう）です」

「実生？」

「芽が出たばかりの幼い木です。雄太は桜に転生したのですわ」

「桜に？　人が植物になったんですか？」

「命は巡ります。人にも動物にも虫にも植物にも……」

サクヤヒメは白い指先で優しく若い芽を撫でた。

「雄太はこれから桜として……生きていくのですわ」

「……」

さあ、大変だ、と梓は思った。この庭を管理するのは自分だ。そんなことを聞いたらなんとしてもこの芽を守らなければならない。子供たちに踏んではいけないと教えなきゃいけないし、自分も足元に気をつけなきゃならない。

どうしよう。この芽の周りに柵でもつくればいいのか？

そんなことを頭の中で考えて焦っている梓に、サクヤヒメは顔を近づけた。

いきなりアップで美貌を見てしまい、梓の小さな心臓が特大のドラムを打つ。

「えっ、うわ！」

「羽鳥梓、雄太をよろしくお願いします」

「え、はい」

「必ず立派な桜に育て上げてください」

「は、はい」

「わたくしは神社でお勤めがあるのでしょっちゅうは来られませんが、時々寄らせて様子を見させていただきますので」

「ええっ」

せ、責任重大じゃないか！

「サクヤヒメ様」

翡翠が縁側からおりてきた。足元にはいつのまにか革靴をちゃんと履いている。

「さきほど、サクヤヒメ様がおっしゃったお言葉の中で、ちょっとひっかかったところがあるのですが」

「なんですの？」

サクヤヒメが怪訝な顔をする。翡翠の顔がひどく緊張していたせいかもしれない。

「サクヤヒメ様は雄太さんに会えなかったことを魔縁から聞かれたとのことですが、そのさい、魔縁を〝呼んで〟とおっしゃいましたね」

「ええ……」

「どうやって呼んだのです？　まさか声をかけたら来たというわけではないですよね。なにか、呼び出す手段があるのですか」

そういえば紅玉や翡翠も呼び出しの手順はある。

「ええ。そうです。神社に来た魔縁からもらったものがあるのですわ」

サクヤヒメは神衣の胸から何か取り出した。それは黒い鈴だ。サクヤヒメのたおやかな白い手のひらの中で、鈍い光を放っている。

「これをこうやって振って――」

「ちょ、ま……っ！」


リーィン……リーン……。


深みのある音が響く。

「待ってください！　それ今、魔縁を呼んじゃったんじゃ……！」

「あら？　そうなのかしら」

そうかしらって。

ぞくっと背筋に悪寒が走る。気温が確実に二度は下がった。辺りが暗くなり、焦げ臭いような匂いが漂う。

「梓！　伏せろ！」

翡翠が叫んで飛びついた。梓はどんっと地面に仰向けになり、見上げた空に黒い影があった。

「魔縁！」

大きく黒い翼を持ったものが上空にいた。手に薙刀のようなものを持っている。

その顔は人でも動物でもない、焼けただれた何かの肉だ。白い骨の上に黒く焼けた肉と、赤くただれた肉がはりつき、表情もわからない。

「ほう、こんなところに堕ちた神と、四獣の子供がいるとはな」

ザラザラとした魔縁天狗の言葉にサクヤヒメの顔色が変わる。

「お、堕ちた神とはわたくしのことですか！」

「その通りだろうが。タカマガハラの裏切り者……お前はいまや我等（われら）の方に近いのだ」

「違います！　た、たしかにタカマガハラには迷惑をかけましたが、わたくしはまだ神の座におりますわ！」

「神の座にいるものが人を恋慕（こいした）って転生した魂を追いかけるのか。その行いはまるで人間のあばずれのようではないか」

「そ、そんな……」

魔縁天狗は青ざめたサクヤヒメを嘲笑（あざわら）った。

「元々、人間を愛するなど神として不浄（ふじょう）。お前が穢（けが）れた神だからこそ、人間の命を縮めたと思わぬのか」

「あ、あ、……っ」

「あかんっ、サクヤヒメ様！　あの外道の言葉を聞いたらあかん！　あやつらは言葉をも汚すんや、汚れた言葉は毒になり、ヒメ様の心も汚す！」

紅玉はそう叫ぶとその手の中から炎の球を投げつけた。魔縁天狗はその火をあっさりと避ける。炎は生け垣にぶつかりたちまち燃え上がった。

「うわあっ！　だめっ、駄目です！　ここで戦っちゃだめっ！」

梓は翡翠の体の下から叫んだ。

「ちっ！」

紅玉が舌をうち、手を握りしめる。生け垣の炎は摘み取られるように消えた。

魔縁天狗が薙刀を振って紅玉に襲いかかった。紅玉は剣状の炎を操りそれを防ぐ。

「翡翠さん！　あいつをここから離してください！　こんな住宅地で戦われたら近所に迷惑がかかります！」

梓は自分にのしかかっている翡翠の体を押しやった。と、翡翠が無抵抗のままごろりと転がる。

「翡翠さん⁉」

仰向けになった翡翠は苦悶の顔で目を閉じている。その背中の下からじわじわと水が広がっていった。

「ひ、翡翠さん！」

あわてて背中を上にすると、きれいなスーツが無残に切り裂かれていた。血の代わりに透明な液体がどんどん出てくる。

「こ、これって、俺を庇（かば）って」

翡翠が自分を突き倒してくれなければ、きっとこの傷は自分が受けていたのだ。

梓は空を見上げた。魔縁天狗と紅玉は今は庭の上空でやりあっている。

「紅玉さん……、庭や家に被害を与えないように、炎を押さえてる……このままじゃ……」

サクヤヒメは人間が転生した実生の上に覆い被さり守っている。役に立ってくれそうになかった。

「みんな！」

子供たちは縁側にいた。ひとかたまりになり空を見上げている。

「あじゅさー！」

梓の声に蒼矢が泣きべそをかきながら裸足で庭におりてきた。

「あじゅさ！　ひーちゃん！」

（梓！）

「……っ」

四人が翡翠を抱きかかえている梓の周りに集まった。

「みんな、怖がらないで！　大丈夫だから」

「あじゅさ……ひーちゃんは？　ひーちゃん、やられちゃったの？」

朱陽が翡翠の体をさする。

「ひーちゃん……ひーちゃん……おっきして」

「みんな、よく聞いて。こないだみたいにみんなの力をあわせてあいつをやっつけるよ」

子供たちが顔をあげる。とまどった表情の彼らに梓は力強く言った。

「みんなは強い！　四獣戦隊オーガミオーじゃないか！」

「オーガミオー……」

「そう、正義の味方、結界の守護者、世界を守るオーガミオーだ！」

「――――！」

全員の目に力が戻った。表情に力が満ちる。

「結界の力を使ってあいつを閉じ込めるんだ！」

「――てんじっ、はいあーばーど！」

真っ先に反応したのは朱陽だった。燃える炎の翼ではばたき、庭に舞い上がる。

「てんじっ！　ぶるーどあごんっ！」

蒼矢もばしっと尾で地面を叩き、体をしならせて飛び上がる。

（ちぇんじっ！　ほわいとたいがー！）

白花がくるっと一回転して真っ白な虎のすがたになった。

「……！」

玄輝は無言で玄武となり、回転しながら空に向かう。

「は、羽鳥梓……この、ばかもの……」

梓の腕の中から声がした。翡翠が薄く目を開けている。

「翡翠さん！　気がついたんですか！」

「私は大丈夫だ……それより神子たちに……危険な真似を……」

「大丈夫ですよ。俺は子供たちを信じています。あの子たちはうまくやる」

「な、なぜ……そんなことを……」

「今の状況……先々週のオーガミオーと同じだからです」

「は、あ……!?」

　空に舞い上がった子供たちは、四つの点を結んだ正方形を作った。その中心に魔縁天狗の姿をいれる。

「四獣のガキども……？　なにをするつもりだ」

　魔縁天狗は四方に現れた四獣に驚いて動きを止めた。子供たちはその機を逃さなかった。

（結界！）

　ビリビリッと四人の念が梓の頭の中に響いた。そのとたん、魔縁天狗は固まった姿のまま、どさっと地面に落ちてきた。

「これは……」

　翡翠が体を起こす。倒れている魔縁天狗のそばまで這っていくと、手を伸ばした。指の先が透明な壁にぶつかる。

魔縁天狗のからだは、まるで空気の固まりの中に閉じ込められているようだ。

「やったー!」

「やっちゅけたー!」

(結界成功!)

「……っ、……っ!」

四獣たちがおりてきて、地面に立つと同時に人の姿に戻る。紅玉も一緒に降りてきた。

「いや、これはすごいなー。神子たち、すごい技を持ってるなー」

(「空ノ誓イハ風ノヨウニ」。ヨミ怪人じゃあくおうトノ戦イデ、おーがみおーガトッタ戦術ナノ)

白花が詳細に解説してくれたが、紅玉にはわからない。

「羽鳥梓……貴様、また神聖なる四神に俗悪番組の真似を……っ」

翡翠が梓の肩を借りながらよろよろと立ち上がる。

「いや、まあ、勝てたんだし、みんな翡翠さんが怪我して怒ってたんですよ」

「私の怪我などたいしたことではない!」

子供たちが翡翠の元に駆け寄ってくる。

「ひーちゃん、だいじょうぶー?」

「いたくない?　いたくない?」

（悪イ奴、ヤッツケタ）

「――――」

翡翠は子供たちの頭を一人ずつ撫でる。

「もう大丈夫だ。心配かけてすまなかった」

梓は翡翠を縁側まで連れてゆくと、そこに腰掛けさせた。すぐに紅玉が駆けつける。

翡翠は紅玉に任せて、梓はまだ地面にうずくまっているサクヤヒメの元に行った。

「もう大丈夫ですよ、サクヤヒメ様」

「……」

サクヤヒメは地面から顔をあげない。ぶるぶると細いからだが震えていた。

「サクヤヒメ様、どうされたんですか？」

「わたくしは……わたくしは……」

しおれた花がヒメの体の周りに落ちてゆく。

「わたくしはなんということを……あの魔縁が言ったように、わたくしはタカマガハラの裏切り者……人間をおいかけ回すアバズレなのですわ……もう神ではないのですわ……」

「サクヤヒメ様、しっかりしてください。紅玉さんの言ったように、魔縁天狗の汚れた言葉なんか聞かないでください」

「わたくしなんかに愛されたから……雄太の寿命がこんなに短くなった……わたくしが雄

太を不幸にしてしまったのですわ……」

「サクヤヒメ様」

梓は地面に膝をつくと、土に汚れたサクヤヒメの手をとった。

「サクヤヒメ様は両親を失って悲しんでいた子供を救いたかったんでしょう？　その子が大人になってもヒメ様の姿を見ることができたのは、本当にヒメ様を愛していたからですよ。俺は、雄太さんがどうして桜に転生したのか……理由がわかる気がします」

サクヤヒメは顔をあげた。白い顔にいく筋も涙が伝っている。

「雄太さんはサクヤヒメ様と一緒の時を生きたかったんですよ。人間ならせいぜい一〇〇年。でも桜になれば二〇〇年、三〇〇年と生きることができる。雄太さんはずっとヒメ様と一緒にいたいと願ったんですよ……きっと」

「あずさ……」

「俺は生きている間はずっと雄太さんの桜の面倒を見ます。俺が面倒をみられなくなったら、どこか深い山の中に移植します。そこでサクヤヒメ様は、ずっと雄太さんを見守っていくことができます」

「わたくしは……」

サクヤヒメの顔の周りにまた美しい花が咲いた。

「わたくしは……ずっと雄太と生きていいのでしょうか……こんな罪を犯したわたくしが

「……」

「いいんですよ、だってサクヤヒメ様は神様なのですから」

「そういう決断は人間が下すもんじゃねえよ」

ひやりとした声がかけられた。バサリ、と空気を切る羽根の音がして、振り向くと三体の天狗が降りてくるところだった。

「示玖真さん！」

高尾山の眷属、烏天狗の一五郎坊示玖真だ。

梓は思わず背中でサクヤヒメをかばった。示玖真の言葉に不穏なものを感じたからだ。

いつも陽気で頼もしい示玖真が、今日はひどく厳しい顔をしている。

「魔縁の気配を感じてやってきてみたら、またお前ェか、坊主。よくよく魔縁に狙われたいらしいな」

「べ、別に狙われたくなんかないですよ！」

示玖真は配下の天狗に命じて、地面に転がっている魔縁天狗を回収させた。荒縄で縛られた魔縁天狗は烏天狗たちに担がれて上空に昇ってゆく。あとには示玖真だけが残った。

「わたくしが魔縁を呼んでしまったんです、ごめんなさい」

サクヤヒメが怯えた風情で梓の背後から顔を出す。

「呼んだって、どうやってでェ」

「この鈴で」

サクヤヒメは黒い鈴を差し出した。さすがに今回はそれを振ったりはしない。

示玖真は鈴を手にとると、たもとの中にしまった。

「こいつはコノハナサクヤヒメ様が魔縁と関係があったという証拠として押収しますぜ」

「――はい」

「俺らの捜査でも当たりはつけていたが……ここまで証拠がそろっちゃ言い逃れもできやせんぜ」

「言い逃れなどするつもりはありません」

サクヤヒメはきっと烏天狗を見上げて言った。

「どんな罰でも受ける覚悟はできてますわ」

「示玖真さん、これは事情が」

「事情がどうでも、神が外道とつながりを持つことは許されねえんだよ」

思わず声を上げた梓に、示玖真は冷たい口調で言った。右手の薙刀の持ち手をとん、と地面につく。

「サクヤヒメ様にはタカマガハラで取り調べを受けていただくことになります。よろしいか」

「はい……」

サクヤヒメはうなだれた。もう花も出ない。

「示玖真さん――」

「坊主。人には人の、神には神の法ってのがあるんだ。これ以上口出ししねえほうがいい」

「――」

示玖真の目に気押(けお)され、梓は一歩下がった。全身が震える。どんなに親しくても、これが人と人でないものの差なのか。

サクヤヒメは示玖真に促され、立ち上がった。一度振り返り、桜の根元の小さな芽を見る。

「さようなら……雄太……」

それから梓を見つめ、縁側にいる子供たちを見た。

「ありがとう、羽鳥梓……。さようなら、四獣の子たち……」

「おひめさまー!」

「おひめさまー」

子供たちが駆け寄ってこようとしたが、それより早く、烏天狗と女神は飛び立った。空が明るくなり、ひらひらと桜の花びらが舞ってくる。

「……」

梓は手の中に花びらを握りしめた。なんだか涙のような形に見える。

「サクヤヒメ様……」

終

魔縁天狗に斬られた翡翠の怪我は、魔縁の障気(しょうき)を浄化すればすぐに治る、ということで、翡翠はしばらくタカマガハラに戻ることになった。

翡翠は自分の怪我のことより、自分が来られなくなって子供たちの世話に手抜きがないか、ということばかり気にしている、と紅玉が報告してくれた。

「回復は順調なんですか？」

「ああ、もうじきこっちへも来れる。また口うるさく言われるで」

「しばらく聞いてないと、翡翠さんの小言(こごと)も懐かしいですよ」

梓と紅玉は縁側を水拭きしながら話をしていた。

縁側の下の沓脱石の上に、小さな鉢植えが置いてある。雄太の実生をこちらに移しかえたのだ。しばらく鉢植えで育てたあと、庭の中の日当たりのいい場所へ移すつもりだ。

鉢植えにしたあと、すぐに大風と雨になったので、タイミングがよかったと胸を撫でおろした。

「春一番が吹いたんやなあ。今日はえらいあったかいなあ」

紅玉は雑巾を水でゆすぎながら空を見上げた。

「そうですね、しばらくはこの天気が続きそうですよ」

「この分じゃ、桜も早いやろうな」

子供たちは庭でおいかけっこをしている。時々立ち止まっては縁側にいる梓と紅玉に手を振ってきた。

「あじゅさー」

蒼矢が手を振る。振りかえすと、首を振って空を指さした。

「え?」

青空を見上げると黒い点が見える。それは見る間に大きくなった。

「紅玉さん、あれ――」

「お?」

梓と紅玉が庭に出ると、バサバサと音をたてて、烏天狗が降りてきた。もう一人、スーツ姿の男もいる。

「ひーちゃん!」

子供たちが駆け寄ってくる。

「ひーちゃん、おかえりー！」

「おお、ただいま。今戻ったぞ」

翡翠はスーツのズボンが汚れるのもかまわず地面に膝をつき、飛びついてくる子供たちを抱き返した。

「翡翠さん、示玖真さん」

「よう、坊主」

今日の示玖真はいつものように、明るい調子で梓はほっとした。

「翡翠さん、もう大丈夫なんですか」

「ああ、あんな傷など、もう残ってもいない」

「あのときはありがとうございました」

「なんのことだ」

翡翠はぷいとそっぽを向く。紅玉が笑って梓を肘でつついた。

「梓ちゃん、翡翠は知らん顔しているんやから、もう忘れたってや」

「でも、あのとき翡翠さんが庇ってくれなかったら……」

「誰もお前を庇ってなどおらん。たまたま足がすべってお前を押して倒しただけだ」

翡翠は背中を向けたまま答える。梓はその背を見つめた。ちゃんと覚えている、あのスーツがすっぱりと斬られていたことを。

「……背中を斬られて」

「たまたまあいつの武器が背中をかすっただけだ」

「でもあんなに血……水が出て」

「梓ちゃん、もう堪忍したってや。翡翠が恥ずかしくて死にそうになっとる」

言われて見ると翡翠の首筋が真っ赤になっていた。

「わかりました。偶然、翡翠さんの足がすべって俺を押し倒して、偶然、魔縁天狗の薙刀が翡翠さんをかすったんですね。でも俺はその偶然に感謝します。ありがとうございました！」

「……」

翡翠は何も答えない。そばに寄った玄輝がそんな翡翠の頭をなでなでした。

「示玖真さん」

梓は桜の木を見ている示玖真に声をかけた。天狗は振り向くと、

「水精を送りがてら報告にきたぜ」と言った。

「報告？」

「サクヤヒメ様のことが気になってるだろうと思ってな」

「あ……」

梓はちらっと鉢植えの桜を見た。

「どうなったんですか。やっぱり……罰、とか？」

「まあな」

示玖真は薙刀を肩にかついだ。

「サクヤヒメ様は高尾の山に百年こもられることになった」

「百年⁉」

「魔縁との穢れを完全に絶つためだ。まあ軽い方だな」

「そんな……」

「高尾の、人の踏み入れない場所に祠（ほこら）を立て、そこに入られる」

「……お一人で、ですか」

「そうだ」

百年。神と人間では時の流れは違うのだろうが、それでも一人で百年は寂しいだろう。

「あ、あの、示玖真さん。お願いがあるんですが」

「おう、なんだ？　坊主にはタカマガハラの事件の解決に役立ってもらったからな、融通はきくぜ」

「これを」

梓は雄太の桜の鉢植えを手にした。

「サクヤヒメ様の祠のそばに植えていただけませんか？　サクヤヒメ様がいつも見守るこ

とができるように」

「……ああ、雄太って人間の転生か」

「はい」

示玖真は鉢植えを受け取った。

「サクヤヒメ様のそばにいれば、この桜も立派に育つだろうよ。高尾のお山もまたひとつ華やかになるってわけだ」

「ええ……、きっときれいな花が咲きますよ」

「じゃあな」と示玖真は翼を広げ、飛び立った。

サクヤヒメ様の慰めになるだろうか？　成長する桜を見つめ、雄太のことを思うだろうか？

「かえって切ないことをしてしまったかな……」

呟く梓の手に温かいものが触れた。見ると白花が手を握っている。

（オヒメサマ、キット喜ブ）

「そうかな……」

（ソウ。好キナ人ト一緒、嬉シイ）

「あえびもうれしー！」

朱陽がもう片方の手につかまる。

「あじゅさといっしょ、うれしー」

朱陽の笑顔に梓も笑みを返した。

どん、と膝の裏を蹴られ転びそうになる。蒼矢が蹴ったのだ。

「蒼矢、危ないだろう?」

言うと「べーっ」と舌を出す。蒼矢の愛情表現はひねくれている。

玄輝が梓の足に両手で抱きつき、顔をくっつけた。

「わ、玄輝、こんなとこで寝ないで」

あわてて玄輝を抱き上げる。

「さ、翡翠さんも帰ってきたことだし、みんなでお茶にしてお菓子を食べよう」

梓が言うと、子供たちがわっと声をあげて部屋に走った。

ぽかぽかした早春の日差しが背中を押す。

青空に細い指を伸ばす桜の枝に、ぽつん、ぽつんとふくらんだ蕾を見つけるのはもう少しあと。


日本の、東京の、豊島区の、池袋の、一軒家で。

今日も小さな神様たちは、元気にしっかりと、成長しているのだ。

コスミック文庫 α

神様(かみさま)の子守(こもり)はじめました。2

2022年10月25日　初版発行

【著者】　霜月(しもつき)りつ
【発行人】　相澤　晃
【発行】　株式会社コスミック出版
〒154-0002　東京都世田谷区下馬 6-15-4
【お問い合わせ】　一営業部一 TEL 03(5432)7084　FAX 03(5432)7088
一編集部一 TEL 03(5432)7086　FAX 03(5432)7090
【ホームページ】　http://www.cosmicpub.com/
【振替口座】　00110-8-611382
【印刷／製本】　中央精版印刷株式会社

ISBN978-4-7747-6427-6 C0193